NINETY

ÉDITORIAL

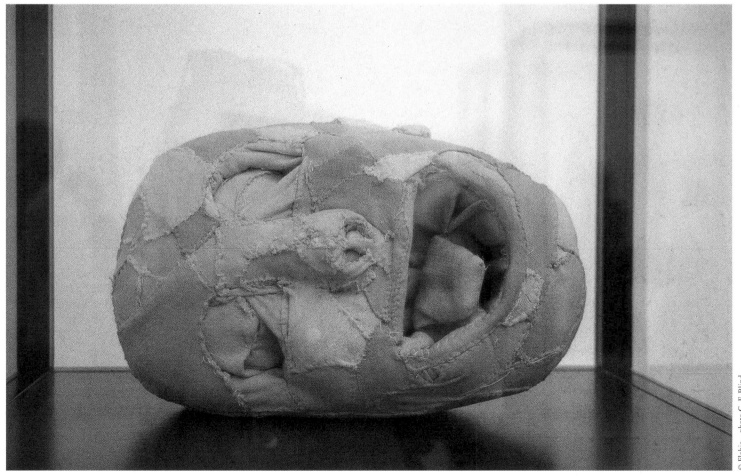

© Flohic – photo C.-F. Blind

patchwork rose, 25,4 × 33 × 25,4 cm, 1999

Louise Bourgeois. Lion d'or de la Biennale de Venise. 1999

CHRISTIAN DE PORTZAMPARC

NIKOLA JANKOVIC

Avec la livraison de trois bâtiments à Grasse, à Paris et à New York, Christian de Portzamparc marque une étape importante de son architecture – jusqu'alors principalement dédiée à la musicalité. Mais peut-être s'agit-il déjà de l'entrée dans ce que l'on nomme communément une « troisième période » : les prolongations.

On ne présente plus l'architecte de la Cité de la musique. Récompensé par l'Équerre d'argent en 1988, par le grand prix d'architecture en 1993 et seul Français à avoir reçu le Pritzker Price (l'équivalent du

Tour LVMH, New York. Livraison septembre 1999

prix Nobel en architecture) en 1994, Christian de Portzamparc achève trois projets aussi importants par leur dimension que différents dans leurs exercices de style. Il s'agit de la cité judiciaire de Grasse, de l'extension du palais des Congrès de Paris, Porte Maillot, et de la tour Louis-Vuitton à New York. Cette diversification s'inscrit à la fois dans la continuité et dans la rupture au regard de l'image musicale insistante que les réalisations de Portzamparc et les commentaires des journalistes entretenaient.

Vus sous cet aspect, le plan de carrière de Christian de Portzamparc et l'évolution stylistique, programmatique et urbaine de son architecture sont essentiellement caractérisés par une cohérence et une très grande régularité. Une idée « classique » de l'harmonie « pérenne » et un localisme « doux » – dont le maniérisme formel n'est guère apprécié d'une certaine avant-garde – se projettent dans de l'imagerie « liquide » globale !

MUSIQUES DE LA CITÉ

Avec à son actif le conservatoire Erik-Satie (1981), l'école de danse de l'Opéra de Paris à Nanterre (1983) et son projet au concours de l'Opéra de la Bastille la même année, immédiatement suivi des deux tranches de la Cité de la musique (1984-1995), Portzamparc voit son écriture et son style devenus la métonymie incontournable d'une certaine forme de musicalité urbaine. Cette mélodie était d'ailleurs à juste titre largement confirmée par l'urbanisme musical de sa démarche générique : d'abord avec son fameux « îlot ouvert » rendant perméables les rapports entre espace public urbain, parties communes de l'immeuble et parties domestiques strictement privées. Ensuite la maturation de sa « théorie » des trois âges de la ville européenne – table rase et idéologies du mouvement moderne (âge II) sur tout l'urbanisme et toute l'architecture préexistante (âge I) – l'avait conduit, à partir de Mai 68 et de la « fin des grands récits », à prescrire un « âge III ». Il souhaitait là réconcilier et suturer les clivages tectoniques et organiques entre les deux âges précédents. Enfin il y parvint surtout avec des projets urbains contemporains comme la Cité de la musique, en en formant justement comme le négatif.

L'ÂGE III... DE L'ÂGE III

Cause et effet habituellement perceptible dans les pratiques de la création où l'on confond très facilement l'homme et son œuvre, mon hypothèse serait qu'on pourrait maintenant historiser assez facilement l'architecture de Christian de Portzamparc comme elle-même, intuitivement, élaborée en trois âges. Car face à l'ampleur et à la longévité de ce grand projet,

With the delivery of three buildings in Grasse, Paris and New York, Christian de Portzamparc has marked an important stage in his architecture, hitherto mainly to do with musicality. But maybe this is already him embarking on a third period, of "extra time" one might say.

The architect who designed the Cité de la Musique needs no introduction. Awarded the Équerre d'Argent in 1988, the Grand Prix d'Architecture in 1993 the only Frenchman ever to win the Pritzker Prize (equivalent to a Nobel Prize for architecture), in 1994, Christian de Portzamparc is currently completing three projects that are different as stylistic exercises in proportion to their large scale. These are: the court buildings in Grasse, the extension to the Porte Maillot Conference Centre in Paris and New York's Louis Vuitton Tower building. Such diversification both follows on from and makes a break with the insistent musical image that Portzamparc's output and journalists' commentaries have fostered.

Seen in this light, Christian de Portzamparc's career path and the stylistic, programmatic and urban development of his architecture are basically characterised by their great consistency and regularity. A "classical" notion of "perennial" harmony and "gentle" localism – together with a formal mannerism not much to the taste of certain sections of the avant-garde – is projected within the overall "liquid" imagery!

MUSIC OF THE CITÉ

Having earlier designed the Conservatoire Erik Satie (1981), the Ecole de Danse de l'Opéra de Paris in Nanterre (1983) and entered a project in the competition for the Opéra Bastille that same year, immediately followed by the two phases of the Cité de la Musique (1984-1995), Portzamparc's hand and style inevitably became a metonymy for a certain kind of urban lyricism, to a tune largely confirmed, and justifiably so, by the lyrical urbanity of his overall approach – first with his well-known "open-plan block", establishing a permeable relation between the public urban space, the communal sections of the building and the strictly private domestic areas; then with the development of his "theory" of the three ages of the European city, whereby tabula rasa and the ideologies of the modern movement (Age II) over all pre-existing urbanity and architecture (Age I) had led after May 68 and the "end to great narratives" to prescribe an "Age III" which was to reconcile and stitch up the tectonic and organic divisions that came between the previous two; lastly and most of all, with the urban projects contemporaneous with the Cité de la Musique and precisely a kind of negative of it.

AGE III... OF AGE III

The cause and usually perceptible effect in creative practices where the man and the work are so easily mixed up, my hypothesis is that we could now fairly easily historicise the architecture of Christian de Portzamparc as being itself intuitively divided into three ages. Indeed, faced with the scale and timescale of this great project, it may seem obvious that there has been a before, a during and an after the Cité de la Musique, a before made up of isolated projects, with their already characteristic personal style, but not as yet with very much of a collective identity; a during, triggered by the Ecole de Danse, the project for the Bastille Opera House, and the Cité de la Musique, and characterised by the national success of the Grand Prix in 1993 and the international success of the Pritzker Prize in 1994 crowned by a solo exhibition at Beaubourg in 1995; and an after, the current period. So our

Extension du palais des Congrès, Paris. Livraison décembre 1999

il peut paraître évident qu'il y a eu un avant, un pendant et un après-Cité de la musique, un avant, des projets isolés, au style personnel déjà caractéristique mais ne parvenant néanmoins qu'assez peu à faire corps entre eux ; un pendant – déclenché par l'école de danse, le projet de l'Opéra de la Bastille et la Cité de la musique – caractérisé par la consécration nationale (le grand prix en 1993) et internationale (le Pritzker en 1994) et couronné par une exposition monographique à Beaubourg en 1995 ; et un après, dans lequel nous sommes aujourd'hui. L'exercice porte donc sur l'âge III de l'architecte des trois âges. La déflagration de la Cité de la musique a été trop forte pour ne pas affecter son travail. D'architecte de la cité de la musique, timide agoraphile, il est devenu au fil des années un peu moins architecte de la musique (chose acquise) pour devenir encore un peu plus architecte de la cité. Certes, il y a bien encore quelques concours « musicaux », comme pour la ville de Nara au Japon (1991), le Centre musical de Shenzhen, la salle Pleyel en 1995 – ou encore pour les salles philharmoniques de Copenhague (1993) ou de Luxembourg (1997).

Mais ce qui est à l'œuvre dans cet âge III de l'architecture de Portzamparc, c'est donc surtout des « projets urbains » dans les villes françaises puis européennes et internationales, c'est-à-dire à la fois des projets d'équipements civiques à l'échelle de la ville[1] et des projets d'aménagement de quartiers ou d'envergure plus radicale[2]. Mais cette expérience d'âge III de l'architecture de Portzamparc, sujette à une obligée folie des grandeurs, bute actuellement sur les limites conceptuelles et technocratiques du système, sur les normes européennes des compétitions, sur les consultations sans lendemain, sur les propositions financièrement bancales, politiquement suspectes... Avec la place quasi insignifiante qu'a aujourd'hui l'architecte dans la société, nul doute que Christian de Portzamparc se sent quelque

peu bridé dans ses aspirations verticales à faire de l'urbanisme, forcé du même coup de se diversifier transversalement dans de nouveaux secteurs programmatiques : ambassades, sièges sociaux, hôpitaux, écoles d'art, salles multiplexes. Souvent les commanditaires attendent *a priori* de Portzamparc une sensibilité-toute-musicale ou la signature-élégante-et-prestigieuse-d'un-grand-architecte-français. Cela constitue certes un fonds de commerce non négligeable, mais ne cadrant pas forcément avec ses aspirations et ambitions.

LA PREUVE PAR TROIS

La livraison de trois bâtiments importants commandés ou remportés par Portzamparc entre 1993 et 1995 pose à nouveau la question de la reconversion programmatique et du changement d'image amorcé par l'architecte au sortir de la Cité de la musique.

Concours remporté en 1993, l'ellipse de la cité judiciaire de Grasse, qui à elle seule incarne tout le reste du bâtiment, voit enfin le jour. Il est d'ailleurs vrai que l'ensoleillement joue un rôle important pour ce programme se devant d'incarner une grande transparence tout en devant rester frais sous le ciel méditerranéen. Cranté par ses brise-soleil comme une horloge solaire venant graduer l'ombre et la lumière, l'ovale permet en outre d'accrocher l'œil en douceur, de faire signal institutionnel pour un site pourtant étriqué. À côté de cela, la cité se caractérise par une succession de plots opaques et massifs. D'un travertin ocre, la façade sud du palais de justice ménage par exemple quelques fentes vraiment « meurtrières » et irradie au soleil d'une aura dorée à laquelle ne sauraient être indifférentes les brigades financières !

La deuxième livraison concerne l'extension du palais des Congrès de Paris, Porte Maillot. Trait pour trait, ce projet consiste essentiellement en un masque : pour ne pas respirer les émanations toxiques et acoustiques

exercise involves Age II of the three-age architect. The explosion of the Cité de la Musique proved too powerful not to affect his other work. From being the shy agoraphilic architect of the Cité de la Musique, he has gradually become less the architect of "la Musique" (which he now is once and for all) and even more the architect of "la Cité". This is not to say that there were not to be any more "musical" competitions – such as for the city of Nara in Japan (1991), the Shenzhen Music Centre, or Paris's Salle Pleyel concert hall in 1995, not to mention the philharmonic concert halls of Copenhagen (1993) and Luxembourg (1997).

But what is at play in this Age III of Portzamparc's architecture is most of all the "urban projects" in the cities of France and Europe and later the rest of the world, meaning both his projects for civic facilities at municipal level[1], and design projects for neighbourhoods or on a more radical scale[2]. But this experience of Age III of Portzamparc's architecture, of necessity a prey to delusions of grandeur, is currently up against the conceptual and technocratic limits of the system, against European standards governing competitions, against consultations that are not followed up, against financially unsound or politically suspect propositions... Given the pretty insignificant position of the architect in society today, Christian de Portzamparc undoubtedly feels somewhat hampered in his upward aspirations to get involved in urbanity, thereby being forced to diversify out into new programmatic areas such as embassies, corporate head offices, hospitals, art schools and multiplex halls. Often what the patron is looking for from Portzamparc is his so-lyrical-sensitivity or the elegant-and-famous-signature-of-a-prominent-French-architect. Certainly these are all excellent pot-boilers, but they do not necessarily tie in with his own aspirations and ambitions.

PROOF BY THREES

Delivery of three important buildings commissioned to or won by Portzamparc between 1993 and 1995 again raises the question of the programmatic reconversion and change of image initiated by the architect following the Cité de la Musique.

With the competition win in 1993, the ellipse of the court buildings in Grasse, which in itself encapsulates all the rest of the building, finally saw the light of day. It is also true enough that sunshine plays an important role in this programme designed to embody great transparency whilst staying cool in the Mediterranean sun. Notched with its awnings like a solar clock graduating light and shadow, the oval also serves as a gentle eye-catcher, an institutional signal on what is after all a pretty cramped site. Alongside this, the buildings are characterised by a succession of massive, opaque dabs. The south frontage of the Law Courts, in ochre travertine, has loopholes that are as genuinely "murderous" as the French word "meurtrières" suggests and radiates in the sunlight a golden aura no finance squad could view with indifference!

The second building delivered was the extension to the Palais des Congrès at Porte Maillot in Paris. This project is basically, line for line, a mask – so as not to breathe in the toxic and noise pollution from the major Parisian throughway and the nearby Périphériques; and to mask the imposing bunker concealed behind. The transplant – on the scale of an entire new building! – involved optimising the office spaces, security and capacity of the law courts, notably by adding on a new hall seating 550. Also, to brighten up this huge austere-looking complex from the Gillet dynasty and give it a more festive

3

© Atelier Christian de Portzamparc

Palais de Justice, Grasse. Livraison juillet 99

du flux ininterrompu des automobiles sur le grand axe de Paris et sur les périphériques limitrophes ; et pour masquer l'imposant bunker se dissimulant derrière. La greffe – à l'échelle d'un bâtiment à part entière ! – a consisté à optimiser les locaux administratifs, la sécurité ainsi que la capacité du palais – notamment en y ajoutant une nouvelle salle de 550 places. Par ailleurs, pour dérider ce gigantesque complexe à l'architecture austère issue de la dynastie des Gillet et lui donner un caractère plus festif, une place importante a été portée à l'animation de la nouvelle façade principale. Il relooke l'imposant vaisseau de Gillet avec un astucieux mur biais accrochant l'œil en raison de sa bizarrerie. Ce mur fait antison et lumière. Il sert à la fois d'écran aux nuisances sonores de la circulation (comme cela avait déjà été fait à la Cité de la musique) et d'écran de projection géant et spectaculaire, illuminé des nuits parisiennes.

féminité et de luxe, Portzamparc a ici souligné de sensuels effets d'échancré, aux coutures de menuiseries métalliques invisibles, ainsi qu'une sorte de décolleté de vitrages blancs et sérigraphiés à la coupe stricte. Ce siège du groupe LVMH s'avère dessiner un original « patron des patrons » !

ET APRÈS ?

Restent alors les désillusions des projets urbains confrontés aux « décideurs » de l'Administration. Unique survivant sérieux de cette période mais dont le destin est encore largement exposé aux enlisements politiques, le plan d'aménagement d'un des quartiers du gigantesque aménagement parisien-Seine Rive Gauche demeure encore à ce jour le lieu possible d'expérimentations urbaines de l'urbanisme portzamparcien. L'architecte étant déjà fréquemment intervenu dans le XIIIᵉ arrondissement, plusieurs projets pouvaient déjà annoncer l'orientation prise aujourd'hui dans le principe d'aménagement métis entre tissus urbains existants et table rase postmoderne à l'est de la bibliothèque François-Mitterrand. La célèbre opération de logements sociaux des Hautes-Formes (1975) ébauchant son principe d'îlot ouvert, le foyer des personnes âgées du Château-des-Rentiers (1982) s'insérant du mieux qu'il peut entre deux bâtiments modernes, le projet de micro-chirurgie urbaine de logements rue Nationale (1990) ou encore les logements le long du parc de Bercy (1991) édictent quelques-uns des éléments fondamentaux du secteur aménagé par Portzamparc. Dans ce

character, one major consideration was to bring to life the new main frontage. A facelift to Gillet's imposing vessel through a clever odd-looking and eye-catching slanting wall – a wall which dampens both sounds and light. It acts both to keep out and throw back the traffic noise pollution (as had already been done at the Cité de la Musique) and as a spectacular giant projection screen that lights up the nights of Paris.

In view of its sponsor and the idea New Yorkers have of France, the last production had to embody a certain conception of elegance and luxury. On Manhattan's 57th St., adjoining the Chanel tower and just round the corner from the stores of the other great names of the fashion trade, the LVMH (Louis Vuitton Moët Hennessy) Group wanted a head office in keeping with its ambitions on that side of the Atlantic. A tower in attire would be a great idea.

Portzamparc was no beginner when it came to high towers and haute couture. Following an initial somewhat ungainly effort across the EuraLille railway lines, a magnificent Flavinian project for a Bandaï cultural complex in Tokyo that never got past the drawing board stage, and a design of stores for Ungaro, Portzamparc here built a 23 storey skyscraper for the ambassadors of French-style luxury. Developing an almost sartorial line in a clever metonymy of femininity and luxury, Portzamparc here emphasises the sensuous effects of indentation, invisible stitchings of metal doors and windows, and a kind of strictly tailored plunging neckline of white serigraph glazing. So the LVMH headquarters turns out in a sense to put a whole new meaning on the word "pattern"!

WHAT NEXT?

This leaves the disillusion of the urban projects coming up against the authorities' "decision-makers". The one serious survivor of this period has still to come through the political quagmire; this is the development plan for one section of Paris's gigantic Seine Rive Gauche development, which to date remains a site for possible urban experimentation with Portzamparc's brand of urbanity. Having already operated on a number of occasions in Paris's 13th arrondissement, several earlier projects heralded the direction the architect has now taken with his hybrid development scheme halfway between the existing urban fabric and a post-modern tabula rasa east of the François Mitterrand Library. The famous Hautes Formes council housing operation (1975) sketching his principle of the open-plan block, the old people's home at Château-des-Rentiers (1982) squeezed in as neatly as possible between two modern buildings, the urban micro-surgical housing project in Rue Nationale (1990) or the houses on the park front at Bercy (1991) set out some of the fundamentals of Portzamparc-style area development. In this Masséna-Grands Moulins quarter of Paris, he prescribes a role of overall co-ordination of development, marking a complete break with the inflexible constructions of the post-Haussmann period along the rest of the Left Bank of the Seine. How will Age III of the city and Age III of Portzamparc's architecture acclimatise to the spread of their principles to a whole neighbourhood? We shall soon see...

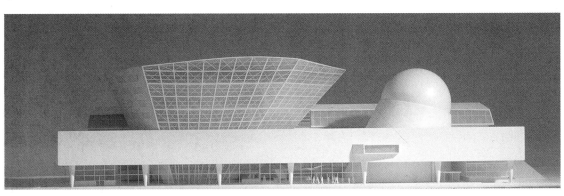

© Atelier Christian de Portzamparc

Nouvel équipement culturel, Rennes. Livraison 2002

La dernière réalisation se devait – de par son commanditaire et l'image que se font les New-Yorkais de la France – d'incarner une certaine conception de l'élégance et du luxe. Sur la 57ᵉ Rue de Manhattan, mitoyenne de la tour Chanel et à deux pas des autres boutiques des grands noms de la mode, le groupe LVMH (Louis Vuitton-Moët-Hennessy) désirait un siège à la hauteur de ses ambitions outre-Atlantique. Une tour d'atours était une bonne idée.

En matière de tour et de haute couture, Portzamparc n'en était pas pourtant à son premier coup d'essai. Après un premier essai assez disgracieux enjambant les voies ferrées d'Euralille, un magnifique projet flavinien resté dans les cartons pour un complexe culturel – Bandaï – à Tokyo et un aménagement de boutiques pour Ungaro, Portzamparc a réalisé ici un gratte-ciel de vingt-trois étages pour les ambassadeurs français du luxe. Développant une ligne quasi vestimentaire astucieusement métonymique de

quartier Masséna-Grands Moulins de Paris, il prescrit en effet un rôle de coordination globale de l'aménagement en rupture totale avec la rigidité des constructions post-haussmaniennes du reste de quartier Seine-Rive Gauche. Comment l'âge III de la ville et l'âge III de l'architecture de Portzamparc s'acclimateront-ils à la généralisation de leurs principes à tout un quartier ? Nous le verrons bientôt...

1. Centre de conférences internationales de Paris en 1989, tour du Crédit Lyonnais en 1991, tribunal de grande instance de Bordeaux en 1992, cité judiciaire de Grasse et nouvel équipement culturel de Rennes en 1993, extension du palais des Congrès Porte Maillot en 1994, musée de Séoul en 1995, multiplexe Pathé à Strasbourg et à Amsterdam en 1996...
2. Atlanpole de Nantes et Disney à Marne-la-Vallée en 1988, Rouen, Marne-la-Vallée et Aix-en-Provence en 1989, Metz en 1990, Toulouse, Bordeaux, Marseille, Strasbourg, Villefranche en 1991, Florence, Beyrouth et Breda en 1994, Prague, île Seguin et Paris Seine-Rive Gauche en 1995, Dallas et Londres en 1998...

1. Paris International Conference Centre in 1989, Crédit Lyonnais Tower in 1991, High Court of Bordeaux in 1992, Cité Judiciaire in Grasse and New Cultural Centre in Rennes in 1993, Extension of the Porte Maillot Conference Centre in 1994, Seoul Museum in 1995, Pathé Multiplex in Strasbourg and Amsterdam in 1996...
2. Nantes Atlanpole and Disneyland at Marne-la-Vallée in 1988, Rouen, Marne-la-Vallée and Aix-en-Provence in 1989, Metz in 1990, Toulouse, Bordeaux, Marseilles, Strasbourg, Villefranche in 1991, Florence, Beirut and Breda in 1994, Prague, Seguin Island and Paris Seine Left Bank in 1995, Dallas and London in 1998...

ARCHILAB : 30 ARCHITECTURES- ÉPROUVETTES

ArchiLab: 30 test-tube architectures

NIKOLA JANKOVIC

Archi pour la discipline, Lab pour la dimension expérimentale. *A priori*, nulle volonté de faire du passé table rase ou du futur manifeste. Pas non plus de millénarisme – même si l'air du temps informationnel, l'espace des flux et la fin de siècle y prédisposent. ArchiLab présente simplement une gestation in vitro des futurs de l'architecture[1].

QUAND LES FORMES REDEVIENNENT ATTITUDES...

Numérique ou génétique, « l'information » est devenue la principale matière première plastique de notre civilisation. Selon les termes consacrés, on la traite, la crypte ou la télécharge ; on l'importe-exporte ; on la compresse ou décompresse... À tous les niveaux de notre vie quotidienne, de notre travail ou de nos loisirs, de nos voyages ou de nos archivages, l'information constitue comme le « patrimoine génétique » de la réalité. Mais elle n'en constitue pas moins non plus le support de ce que Bachelard considérait comme l'eau de nos rêves. L'information est faite pour (se) communiquer, se propager, se disséminer en réseau. Aussi est-ce sans doute pour cette raison qu'une partie importante de la création architecturale contemporaine, sous l'emprise de nouvelles possibilités formelles et narratives, produit des formes mouvantes et liquides, aux contours organiques et bulbeux, à la chair transparente ou phosphorescente de méduse, « respirant » selon une dynamique pneumatique complexe aussi fantasmatique qu'improbable. Liquides, malléables, mutants, protéiformes, hybrides, éphémères, camouflés, invisibles, territorialisés, l'être et la genèse embryonnaire de ces architectures se confondent de plus en plus souvent. Il s'instaure une sorte de confusion métonymique extrême entre les différentes étapes et finalités architecturales ou programmatiques. Avec des bâtiments inconcevables il y a encore quelques années ou avec l'extension des compétences de l'architecte vers d'autres espèces d'espaces de type virtuel, il est parfois vain de distinguer l'image du bâtiment ou la représentation de sa réalisation !

C'est essentiellement ce que montrait la trentaine d'architectures-éprouvettes présentées à Orléans. Et, à cet égard, le contraste avec l'épistémologie architecturale d'hier – son archéologie, ses époques, ses écoles et académies – est si saisissant que nous semblons vraiment assister à la naissance des premières architectures génétiquement modifiées...

Pourtant, il est difficile de rendre compte globalement des trente équipes d'architectes présentes à ArchiLab. Le premier filtre atténuant le bruit pourrait être celui des nationalités. En effet, avec une cartographie exemplaire révélant une sorte de mondialisation de l'architecture, les architectes et critiques présents à Orléans semblaient composer des délégations calibrées au *pro rata* de leur importance dans le paysage mondial de l'architecture contemporaine[2].

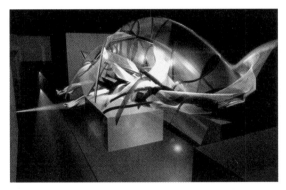

Greg Lynn, USA, Port Authority Gateway, New York, 1995

Comment pouvions-nous ensuite traduire la cohérence et la variété de ces trente boutures d'architecture ? Quelle sélection opérer ? Sur quels critères ? Pourquoi ? Nous avons choisi d'en illustrer la teneur au travers de ce qui nous paraît constituer quelques grandes orientations de l'architecture aujourd'hui.

Un credo moderne postulait que la forme suivait la fonction, mais ici il est bien difficile de distinguer la première de la seconde. À l'instar de l'économie, de l'industrie et de l'environnement, trois traits nous paraissent illustrer cette réalité : le premier, facteur essentiellement politique et économique, porte sur l'émergence d'une mondialisation géopolitique de l'architecture et de ses acteurs – tant au niveau de la commande qu'au niveau de la conception ou de la construction. Le deuxième est relatif à tout ce qui relèverait d'une technologie morphogénétique, c'est-à-dire tout ce qui in-forme et trans-forme la « forme » architecturale – tant au niveau de la conception qu'au niveau de sa représentation, de son anticipation ou de sa fabrication. Quant au dernier, il intègre une approche territoriale conflictuelle, à la fois en phase et en réaction par rapport à l'urbanisme métropolitain de la « société de l'information » dont la « mondialisation de l'économie » et « l'aménagement du

Archi for the discipline, Lab for its experimental dimension. At first glance, no desire for revolution or manifesto for the future, nor any sign for that matter of having caught the «millennium bug», despite the information superhighway being all the rage at this turn of the century. ArchiLab is content to present the in vitro gestation of the various future courses of architecture[1].

WHEN FORMS REVERT TO ATTITUDES...

Be it digital or genetic, "Information" has become our civilisation's principal plastic raw material. It is processed, encoded, downloaded, to use the conventional terminology; it is import-exported, zipped, unzipped etc. At every level of our daily lives, our work and leisure activities, travels, archives, information is as it were the "genetic inheritance" of reality. And yet for all that, it is also the medium for what Bachelard held to be the "water" of our "dreams". Information is there both to communicate and communicate itself, to spread out across a network. This is doubtless why a substantial part of contemporary creative architecture, caught up in new formal and narrative possibilities, is producing mobile, liquid forms with bulbous, organic contours, with the transparent or phosphorescent flesh of a jelly-fish, "breathing" through an unlikely, fantastical kind of complex pneumatic dynamics. Liquid, malleable, mutant, protean, hybrid, ephemeral, camouflaged, invisible, territorialised – more and more often with these types of architecture the being is becoming confused with the embryonic genesis. An extreme kind of metonymical confusion is developing between the various architectural or programmatic stages and their finalities. With buildings that only a few years ago would have been inconceivable or with the extending of the architect's craft to other virtual kinds of space, it is sometimes futile to distinguish between the image or representation of the building and its actual realisation!

This is basically what emerges from the thirty or so test-tube architectures presented at Orleans. In this connection, so striking is the contrast with the architectural epistemology of yesterday – its archaeology, its periods, schools and academies – that really we would appear to be witnessing the birth of the first genetically modified architectures...

And yet, it is difficult to give an overall account of the thirty teams of architects present at ArchiLab. The first noise attenuation filter might be nationality since, with an exemplary mapping revealing a kind of internationalisation of architecture, those architects and critics present in Orleans appeared to come in delegations of proportionate size to their importance in the worldwide landscape of contemporary architecture[2].

How then might we render the internal consistency and variety of these 30 budding architectural styles? What selection, based on what criteria, and why? We have chosen to illustrate them through what appear to us to constitute some major directions in architecture today.

One modern creed postulated that Form followed on from Function, but here it is hard to tell the two apart. As with economics, industry and the environment, this reality appears to be characterised by three features: the first, basically a political and economic factor, is related to the emergence of the geopolitical internationalisation of Architecture and the players involved – with regard both to commissioning and to design or construction. The second concerns everything to do with a morphogenetic technology, by which is meant all that informs and transforms the architectural "form" whether it be from the viewpoint of its design, its representation, anticipation or production. The final aspect integrates a conflicting territorial approach, both in phase with and in reaction to the metropolitan urbanity of the "information society" where the "internationalisation of the economy" and "national and regional development" indeed appear to run counter, and even flatly contradict, any idea of local identity taking root. And yet the "back to nature" message in its various guises heralds the ideological end to a science fiction "conquest of space" or "a better future"; reasonable consumption, sustainable growth, recycling, travel, gardening, landscape... We are all still here, down below, here and now – in a real, present world...

ECONOMICS AND GEOPOLITICS OF ARCHITECTURE

Seen from France, the idea of an "internationalised" architecture at first sounds odd. Come to think of it, though, modern history has already witnessed an architecture described as "international", often meaning Eurocentric colonial imperialism.

territoire » semblent en vérité contrarier – voire s'opposer à – toute idée locale, identitaire et enracinante. Pourtant, différents types de « retour à la terre » viennent sonner la fin idéologique d'une « conquête de l'espace » de science-fiction et des « lendemains qui chantent » : consommation raisonnable, développement soutenable, recyclage, voyage, jardinage, paysage... Nous sommes tous encore ici : ici-bas, ici et maintenant – dans un monde présent et réel...

ÉCONOMIE ET GÉOPOLITIQUE DE L'ARCHITECTURE

Vue de France, l'idée d'une architecture « mondialisée » semble tout d'abord saugrenue. Pourtant, dans l'histoire moderne, il y a bien eu une architecture qualifiée d'« internationale » souvent synonyme d'impérialisme colonial eurocentrique. Mais ce type « international » ne désignait nullement la dimension planétaire-globalisée-mondialisée de mutations et de métissages divers auxquels nous pensons aujourd'hui[3]. Pourtant, les effets géopolitiques d'une mondialisation de l'architecture sont nombreux et opérationnels. La carte des sept pays les plus « architecturaux » du monde se confond aisément avec celle des sept pays les plus riches et industrialisés, et l'activité théorique, critique, pédagogique et culturelle balise un territoire et des enjeux esthétiques très restreints.

Parallèlement, l'image qualitative et libérale de l'architecte s'est modifiée : alors qu'en leur temps Le Corbusier, Mies van der Rohe ou Louis Kahn ne pouvaient être perçus que sous la figure totémique de « maîtres », Koolhaas, Nouvel ou Gehry deviennent, eux, d'étranges prestataires de services de la Ville globale[4], « agents de surface » *worldwide* livrant à domicile des produits de cible-marketing ou une image de marque.

On a beaucoup parlé de « l'effet Bilbao » durant les journées professionnelles d'ArchiLab. Ce projet, achevé l'année dernière, de l'architecte américain Frank Gehry pour le musée Guggenheim est un événement exemplaire et exceptionnel : conception en Californie ; préfabrication, usinage et façonnage sur place à partir des fichiers américains ; délocalisation tactique grâce à l'intégration par le commanditaire de facteurs marketing et stratégiques, etc. Les conséquences de cette commande privée sont nombreuses, et les effets directs et indirects insoupçonnés : conséquences urbaines, municipales et régionales importantes ; redistribution touristique du pays et polarisation économique immédiates sur un site postindustriel ; bénéfice d'image publicitaire et produits dérivés pour tout et n'importe quoi...

QUAND LES FORMES DEVIENNENT ATTITUDES

Toutes les équipes invitées à ArchiLab adoptent une attitude formelle que l'on pourrait qualifier, pour plusieurs raisons, de « génétique ». La génération précédente – celle de Nouvel ou de Portzamparc –, réintroduit très fortement l'idée de contexte. Mais celui-ci ne prenait en compte qu'un instantané local sur des considérations urbaines, politiques ou topographiques. La méthodologie des architectures-éprouvettes présentes à Orléans semble davantage

jouer sur les impératifs laissant une large place à la modélisation *in progress*. La forme (s')informe et est informée. « Formalisme » postidéologique au jeu d'effets spéciaux auquel les Américains sont les plus forts, ces formes, bien qu'à la genèse passionnante, sont totalement vides de projets ou d'ambition sociale sans doute par trop connotées dix-neuvièmiste et socialiste. Du coup, ces gesticulations cosmétiques sonnent creux.

Consacré meilleur espoir masculin, le plus virtuose à cet égard est sans nul doute Greg Lynn, dont les projets servent le plus souvent de « prétextes » pour générer de la forme. Qu'il s'agisse d'une église coréenne presbytérienne à Brooklyn, de bureaux à la périphérie de Vienne, d'un auvent à New York ou d'une salle de concerts à Graz, tous ces projets relèvent prioritairement du même exercice de style. Ayant troqué le siège intellectuel de la côte Est américaine au profit de la capitale du cinéma (Los Angeles), Greg Lynn veut gagner sur tous les tableaux à la fois[5].

Bien que travaillant aussi à la conception de bâtiments, Asymptote semble avoir voulu investir prioritairement les terrains architectoniques jusqu'alors vierges de l'espace virtuel. C'est ainsi que ce binôme new-yorkais, composé de Lise-Anne Couture et de Hani Rashid, a conçu des « bâtiments » virtuels pour le New York Stock Exchange ou le Musée virtuel Guggenheim.

Foreign Office Architects (FOA), G-B, Virtual House, concours organisé par Any Corporation, 1997

Foreign Office Architects (FOA), groupe londonien composé de Farshid Moussavi et d'Alejandro Zaera-Polo, anciens collaborateurs de Rem Koolhaas au sein de l'Office for Metropolitan Architecture (OMA), se prête à différents jeux mimétiques, que cela soit pour une maison virtuelle inspirée du ruban de Moebius ou d'un terminal maritime, gigantesque tranche longitudinale de raie manta actuellement en construction à Yokohama.

Plus en relation avec une culture cosmopolite au réseau national et territorial confondant sur le même sol des zones portuaires, industrielles, urbaines et agricoles, la Hollande gère différemment ce registre formaliste. Chez eux, l'héritage et la densité multiprogrammatique valident davantage une conception topologique inconcevable auparavant. Ben Van Berkel et Carolin Bos, fondateurs de UN Studio, développent des morphologies de plis, de contorsions et de topologie inhabituelle dans la spatialité architectonique, alors que MVRDV aménage un territoire mille-feuille. Avec des programmes civiques très particuliers (dédiés à l'eau douce ou salée), NOX et Oosterhuis déposent sur des dunes des sortes de

However such an "international" type in no way referred to the planetary/global/worldwide dimension of the various mutations and cross-fertilisations we think of today[3].

And yet internationalisation of architecture has all kinds of operative geopolitical effects. The map of the world's seven most "architectural" countries neatly coincides with that of the seven wealthiest and most industrialised countries and the theoretical, critical, pedagogic and cultural activity points to a very limited aesthetic territory with limited stakes.

Meanwhile, the architect's liberal qualitative image has changed; whilst in their day, Le Corbusier, Mies van der Rohe or Louis Kahn could only be looked upon as totemic "master" figures, people like Koolhaas, Nouvel or Gehry on the other hand turn into odd service providers of the global city[4], worldwide "surface active agents" delivering marketing target products or brand images to the home.

During the professional ArchiLab sessions, there was much talk of the "Bilbao effect". This project of US architect Frank Gehry for the Guggenheim Museum completed last year is an outstanding and exemplary event – designing in California; prefabrication, machining and shaping in situ from the American files; tactical relocation through integrating the sponsor's marketing and strategic factors, etc. The repercussions of this private commission are numerous, with unsuspected direct and indirect effects bearing considerable urban, municipal and regional consequences, immediate redistribution of tourism in the country and economic polarisation around this post-industrial site; and the benefit of an advertising image together with all kinds of spin-offs.

WHEN FORMS TURN INTO ATTITUDES

All the teams invited to ArchiLab adopt a formal attitude that might for a number of reasons be described as "genetic". The previous generation – that of Nouvel or Portzamparc – reintroduced very forcefully the idea of context. But this only took into account a local snapshot of urban, political and topographical considerations. The methodology of the "test-tube architectures" present in Orleans appears to play much more on constraints leaving plenty of room for modelling in progress. Form informs (itself) and is informed. A post-ideological "formalism" with its special effects at which the Americans in particular shine, such forms, despite their fascinating genesis, are entirely devoid of any social ambition or project, notions with doubtless too many 19th century socialist connotations. Which makes these forms very hollow-sounding cosmetic gesticulations.

The most virtuoso performance in this regard is unquestionably by Greg Lynn, who won the best male hopeful award, and whose projects are usually "pretexts" for generating form. Whether it be a Korean Presbyterian church in Brooklyn, offices on the outskirts of Vienna, a canopy in New York or a concert hall in Graz, all these projects basically follow the same stylistic exercise. Having swapped the intellectual seat on the American east coast for the movie capital, Los Angeles, Greg Lynn is seeking to win across the board[5].

Although it too works on building design, Asymptote seems to have intended primarily to invest the hitherto virgin architectonic territory of virtual space. Thus the New York binomial of Lise-Anne Couture and Hani Rashid designed virtual buildings for the New York Stock Exchange or the Guggenheim Virtual Museum. Foreign Office Architects (FOA), a London-based group made up of Farshid Moussavi and Alejandro Zaera-Polo, former colleagues of Rem Koolhaas at the Office for Metropolitan Architecture (OMA), lends itself to a variety of mimetic games, whether it be for a virtual house inspired by the Moebius strip or for a harbour terminal, a gigantic longitudinal slice of manta ray currently under construction at Yokohama.

With closer ties with a cosmopolitan culture on the national and territorial network combining harbour, industrial, urban and farming areas on the same ground, Holland has a different way of handling this formalist register. With them, the heritage and the multi-programme density further confirm a hitherto inconceivable topological conception. Ben Van Berkel and Carolin Bos, the founders of UN Studio, are developing folding morphologies, contortions and unusual topologies within architectonic spatiality whilst MVRDV is laying out a mille feuilles type of territory. With some very special civic programmes (dedicated to fresh or salt water), NOX and OosterHuis deposit molluscs made in metal or concrete on the dunes. A few French groups fit in with this type of approach; Mark Goulthorpe, of the ECOÏ group, generates sculptural buildings some of which have been designed, drawn and shaped on the basis of the «objectile» research of Bernard Cache.

Nox , NL, Blow Out Toilet Block, Neeltje Jans, 1997

mollusques numériques de métal ou de béton. Quelques groupes français trouvent leur place dans ce type d'approche : Mark Goulthorpe, du groupe dECOÏ, génère des bâtiments sculpturaux dont certains ont été conçus, dessinés et façonnés grâce aux recherches « objectiles » de Bernard Cache.

QUAND LES ATTITUDES DEVIENNENT TERRITOIRES

Jusqu'alors floue, mouvante, abstraite et, disons-le, assez homogène et pauvre du lobby pseudo-intellectuel anglo-saxon, la logique « formelle » révélée par ArchiLab trouvait sa quintessence dans les architectures prospectives, moins ampoulées, plus modestes et activistes, se faisant plus immédiates et valides. Ou alors aussi quelques équipes reterritorialisant leur architecture, attitude largement souhaitable.

Ainsi en était-il du groupe MVRDV, aménageant les Pays-Bas par une stratification hypercontemporaine. À la fois agricoles, industriels, urbains et maritimes, les paysages néerlandais constituent un cadre éthologique fonctionnant comme un *melting pot* où la dimension du pays et celle de l'architecture viennent quasiment s'épouser. Ainsi, entre la nature artificielle et la platitude des polders gagnés sur la mer, l'articulation multiprogrammatique du territoire avec ses bâtiments a construit au fil des ans une architecture très typée. Chez MVRDV, cette stratification composite s'exprime par toute une déclinaison de superpositions, d'enchaînements fonctionnels, de nœuds et d'inclusions topologiques radicales. Leur architecture est toujours le morceau d'un ensemble territorial plus important. Considérablement influencé par Rem Koolhaas et son ouvrage *S, M, L, XL*, MVRDV (structure composée d'anciens collaborateurs d'OMA) s'est par exemple proposé d'entasser verticalement champs, forêts, bureaux, musées et pavillon d'exposition sur la même emprise comme autant d'étages générés par la géographie et l'information[6].

Sur un registre passionnant, l'équipe française RDSV & Sie. P/B partage une analyse territoriale voisine – elle aussi d'ailleurs en Hollande. Pourtant, au lieu de superposer en hauteur des lamelles de sol, elle enterre de petites barrettes, offrant ainsi un vallonnement paysager rare pour un pays sans relief... Pourtant, un tel feuilleté de paysages n'est pas à la portée de tous. Certes, de riches nations peuvent se payer la belle maison dans les arbres de Saint-Jean-Cap-Ferrat réalisée par Anne Lacaton et Jean-Philippe Vassal, mais nombreuses sont aussi les situations où

l'architecte se trouve soudainement impuissant à se rendre utile, à parer au plus pressé, à dépanner des populations en détresse.

À ArchiLab, ce genre formel devenu volontairement attitude politique était faiblement présent aux côtés des belles images et des nouvelles technologies. Raison supplémentaire d'y porter attention. Citons d'abord le cas du critique Kyong Park, qui, depuis plusieurs années, s'attelle à penser une reconversion de la friche urbaine et industrielle de Detroit. Mais sans doute est-ce le travail de l'architecte japonais Shigeru Ban qui adopte le mieux cette attitude. Ayant développé depuis plusieurs années des « maisons de papier » (en carton recyclable) au thème domestique le plus souvent mobilier (maison-meuble, maison-rideau, maison-sans-murs, etc.), l'architecte, à la suite du séisme de Kobe, a adapté sa démarche à la cause humanitaire. Collaborant avec les Nations unies, Ban a conçu des abris pour le Rwanda et le Kosovo.

Ce n'est qu'une fois la conscience prise que la mission des laboratoires de l'architecture ne s'arrête pas à d'intéressantes prospectives ou à de belles esthétiques qu'on en revient aux impératifs sociaux, politiques, économiques et environnementaux à venir...

Shigeru Ban, J, Paper House, Yamanakako, Japon, 1995

1. ArchiLab, exposition aux Subsistances d'Orléans, 17 avril - 30 mai 1999. Catalogue.
2. Pour trente équipes invitées, six étaient américaines, quatre néerlandaises, trois japonaises, six britanniques, allemandes ou australiennes et trois espagnole, croate ou autrichienne... Le mélange s'avère plus symptomatique encore si l'on repère le cas d'Américain japonais ou arabe, d'Australien slovène ou d'Anglais coréen. Les critiques, quant à eux, étaient représentés par deux Néerlandais pour un Espagnol, un Allemand, un Américain et aucun Français. Étonnante absence lorsque l'on constate, au demeurant, que, pays d'accueil oblige, la délégation française était représentée par pas moins de huit équipes (dosage nettement surévalué – surtout si l'on considère injustifiée ou décevante la présence, parité oblige, d'au moins deux d'entre elles).
3. Cf. Armand MATTELART, *Histoire de l'utopie planétaire, de la cité prophétique à la société globale*, La Découverte, Paris, 1999.
4. SASSEN, Saskia, *The Global City: New York, London, Tokyo*, Princeton, NJ, Princeton University Press, 1991; trad. fr. *La Ville globale. New York, Londres, Tokyo*, Ed. Descartes & Cie, 1996.
5. Greg LYNN, *Animate Form*, Princeton University Press, New York, 1999.
6. Rem KOOLHAAS et Bruce MAU, *S, M, L, XL*, Monacelli Press, New York, 1995 ; Taschen, 1997.
MVRDV, FARMAX, 010 Publishers, Rotterdam, 1998 ; Datascape, 010 Publishers, Rotterdam, 1999 ; MetaCITY/DATATOWN, 010 Publishers, Rotterdam, 1999.

Hitherto fuzzy, moving, abstract, and let's face it, pretty homogenous and indigent logic from the pseudo-intellectual English-speaking lobby, the "formal" logic revealed by Archi-Lab was quintessential in the futuristic, less turgid, more modest and activist and thus more immediate and valid types of architecture. Or alternatively a number of teams reterritorialising their architecture, a very laudable attitude.

This was what the MVRDV group was doing, developing the Netherlands with aggressively contemporary stratification. At once agricultural, industrial, urban and maritime, the Dutch landscapes offer an ethological framework that acts like a melting pot in which the dimension of the country and the architecture almost come together. Thus, between the artificial nature and the flatness of the polders won back from the sea, the multi-programmatic articulation of the territory with its buildings has over the years built up a very characteristic architecture. With MVDRV, such composite stratification is expressed through a whole range of superimpositions, functional sequences, nodes and radical topological inclusions. Their architecture is always a part of a bigger territorial unit. Having been considerably influenced by Rem Koolhaas and his work S,M,L,XL, MDRV (made up of former OMA partners) has for instance proposed to pile up vertically fields, forest, offices, museums and exhibition pavilion on the same building area like so many floors generated by the geography and information[6].

In a fascinating register, the French team of RDSV&Sie.P/B share a similar territorial analysis, also in Holland incidentally. However, instead of superimposing layers of soils in a upward direction, it buries small batten plates, offering an unusually undulating landscape for such a flat country.

And yet, not everyone can achieve such laminated landscapes. Whilst, of course, wealthy nations can well afford the fine house in the trees at Saint-Jean-Cap-Ferret built by Anne Lacaton and Jean-Philippe Vassal, there are plenty of situations in which architects suddenly find themselves powerless to be of any use, to face an emergency, to help out populations in distress.

At ArchiLab, this formal approach which readily becomes a political stance had no great presence alongside the fine images and the new technologies. All the more reason to watch out for it. We shall mention first the case of critic Kyong Park who, for several years now, has been giving thought to converting the urban and industrial wasteland of Detroit. But it is doubtless the work of the Japanese architect Shigeru Ban that best adopts this attitude. Having extended the «paper house» (in recyclable cardboard) idea over a number of years to the domestic theme, usually furniture, (furniture-house, curtain-house, wall-less house etc.), following the Kobe earthquake, the architect has adapted his method to the humanitarian cause. Collaborating with the United Nations, Ban has designed shelters for Rwanda and Kosovo.

It is only once we have become aware that the mission of architectural laboratories does not stop at interesting perspectives or fine aesthetics that we get back to the social, political, economic and environmental constraints of the future.

1. ArchiLab, exhibition at Subsistances, Orleans 17th April - 30th May 1999. Catalogue.
2. Out of thirty teams invited, six were American, four Dutch, three Japanese, six British, German or Australian and three Spanish, Croatian or Austrian... The mix is even more symptomatic if we take into account the case of the Japanese American, the Arab American, the Slovenian Australian or the Korean Englishman. As for the critics, they were represented by two Dutchmen for one Spaniard, one German, one American and no Frenchman. An astonishing absence considering that as the host country, the French delegation was represented by no fewer than eight teams (substantially overrepresented in fact, especially if we consider unjustified or disappointing the presence of at least two of them for the sake of parity).
3. Cf. Armand MATTELART, Histoire de l'utopie planétaire, de la cité prophétique à la société globale, La Découverte, Paris, 1999.
4. SASSEN, Saskia, The Global City: New York, London, Tokyo, Princeton, NJ, Princeton University Press, 1991.
5. Greg LYNN, Animate Form, Princeton University Press, New York, 1999.
6. Rem KOOLHAAS and Bruce MAU, S,M,L,XL, Monacelli Press, New York, 1995; Taschen, 1997.
MVRDV, FARMAX, 010 Publishers, Rotterdam, 1998; Datascape, 010 Publishers, Rotterdam, 1999; MetaCITY/DATATOWN, 010 Publishers, Rotterdam, 1999.

CAMILLE-FRÉDÉRIQUE BLIND

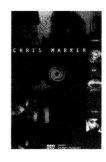

A Shadow in Your Window
CD-Rom de Jean-Michel Othoniel

L'Art au XXᵉ siècle
Taschen

Immemory
CD-Rom de Chris Marker
Centre Georges-Pompidou

Il faut entendre Jean-Michel Othoniel parler de son CD-Rom, une œuvre accessible à tous et hors du marché de l'art puisqu'elle échappe aux galeries, et que l'artiste la distribue lui-même. Issue d'une rencontre avec un jeune technicien – qui l'a suivi dans un voyage quasi initiatique –, cette œuvre utilise sans excès d'« effets » les facilités et les illusions permises par le CD-Rom. L'histoire commence par un parcours, on avance dans des lieux inconnus, on choisit de bifurquer ou non vers une autre aventure, et ainsi, d'histoire en histoire, de jardins en ciel et d'îles en palais, on progresse dans les souvenirs de l'artiste et dans notre propre conscience. Jean-Michel Othoniel invite à se perdre : refusant le son – récurrent ou distrayant –, s'autorisant seulement une phrase elliptique en bas de chaque écran, il nous offre une méditation magique, une introspection partagée. L'originalité vient de là : Jean-Michel Othoniel permet une rencontre artiste-spectateur sur ses thèmes d'inspiration et ses obsessions. Le public, actif, peut imprimer les images phares de son parcours et envoyer ce livret à la Bibliothèque nationale, qui le conservera comme toute édition originale. Complété par une banque de données thématique, ce CD-Rom se plie à la création pour rendre le plus fidèlement, au plus près, le travail et l'imaginaire de l'artiste libéré des contraintes de la technique.
Pour se procurer ce CD-Rom, écrire à Jean-Michel Othoniel, 133, rue de Bagnolet, Paris XXᵉ.

De l'impressionnisme à aujourd'hui, cet ouvrage, en deux tomes (tome I : peinture, tome II : sculpture, nouveaux médias, photographie), abondamment illustré, de l'éditeur allemand Taschen, revisite l'histoire de l'art depuis le début du siècle, dans une mise en perspective essentiellement sociohistorique. Les artistes allemands bénéficient assez logiquement d'analyses plus détaillées et sont mis en exergue d'une manière parfois surprenante, comme lorsqu'une demi-page est consacrée aux artistes impressionnistes allemands dont on a du mal à percevoir le rôle dans l'art du XXᵉ siècle. La richesse de cette histoire de l'art vient de ce qu'elle allie les avantages du cours magistral et du commentaire d'œuvres : chaque propos théorique est étayé par une référence concrète détaillée et peut être complété par la consultation – à la fin du tome II – d'un lexique regroupant les fiches d'identité (photo, brève biographie et indications bibliographiques) de chacun des artistes cités.

À l'inverse de celui de Jean-Michel Othoniel, le CD-Rom de Chris Marker, présenté au Centre Georges-Pompidou puis au musée d'Art moderne de la ville de Paris avant d'être commercialisé, ne propose pas de confrontation spectateur-artiste mais une visite approfondie et graduelle du moi de l'artiste et de ses marottes. Une découverte qui se veut en contradiction avec l'usage courant du CR-Rom : ici pas de vitesse, au contraire il faut s'attarder pour qu'apparaisse à l'écran une image, une information, l'artiste ne se dévoile pas si facilement, il y met une certaine pudeur, une certaine lenteur. L'effeuillage est progressif et sans interaction. Chris Marker, à soixante-dix ans passés, découvre le CD-Rom. Il y voit « LE langage qu'il attendait depuis qu'il est né » et réalise seul le contenu d'*Immemory*, comme une cartographie de sa mémoire. Après une phase d'agacement – mais quel intérêt d'avoir fait un CD-Rom, alors qu'on tourne des pages, comme dans un livre ! –, petit à petit, l'imaginaire de Chris Marker happe et envoûte... Mais il ne faut rien attendre d'autre que cette fascination d'entrer dans les fantasmes d'un autre, serait-ce l'un des cinéastes les plus importants de notre époque. Rien de plus ne sera dévoilé : pas de biographie pour les néophytes, le seul choix possible est celui de l'aspect de sa mémoire que l'on découvre : cinéma, photos, musées... et alors, des images – comme un diaporama –, des textes – beaucoup de textes à lire – pour s'en imprégner.

A Shadow in Your Window
CD-ROM by Jean-Michel Othoniel

L'Art au XXᵉ siècle / 20th century art
Taschen

Immemory
CD-ROM by Chris Marker
Centres Georges Pompidou

You need to hear Jean-Michel Othoniel talk of his CD-ROM, a work that is accessible to all, and outside the art market at that, as it keeps away from the galleries and is distributed by the artist himself. The result of an encounter with a young technician – who followed him on a journey almost of initiation – this work uses the facilities and illusions afforded by the CD-ROM without overdoing the effects. The story begins with a journey, we move forward into unknown places, we choose to set off or not on another adventure and so on, from story to story, from gardens to skies and from islands to palaces, we make our way through the artist's memories and our own consciousness. Jean-Michel Othoniel invites us to lose track; declining the recurring or distracting effects of sound, allowing himself no more than an elliptical sentence at the foot of each screen, he offers us a magical meditation, a shared introspection. This is what makes it original: Jean-Michel Othoniel sets up an encounter between the artist and the spectator based on the themes of his inspiration and obsessions. The public, playing an active role, can print out the pictures highlighting their exploration and send a book off to the National Library which will keep it like any other original edition. This CD-ROM comes with a thematic data bank and bends to the creative act so as to give a faithful close-up account of the work and imagination of the artist thus freed from the shackles of technique.
To obtain this CD-ROM, write to Jean Michel Othoniel at 133, rue de Bagnolet, Paris XXᵉ.

From Impressionism to the present day, in this copiously illustrated two-volume work (volume I: painting, volume II: sculpture, new media, photography), the German publisher Taschen revisits the history of art since the turn of the century, from a basically social and historical perspective. As might be expected, German artists are analysed in greater detail and are highlighted in a sometimes surprising way, as when half a page is devoted to the German Impressionist artists whose role in 20th century art is not clear. The great value of this history of art comes from its combining the advantages of a lecturing technique with a commentary on individual works: each theoretical proposition is backed up by a detailed concrete reference and can be taken one step further by consulting – at the end of volume II – a glossary of identity cards (photo, short biography and bibliographical indications) for each of the artists cited.

Unlike Jean-Michel Othoniel's CD-ROM, Chris Carter's, presented at the Georges-Pompidou Centre then at the Musée d'Art Moderne de la Ville de Paris before being marketed, offers, instead of a spectator-artist confrontation, a gradual in-depth tour of the artist's ego and his hobby horses. An exploration calculated to go against the grain of conventional use of the CD-ROM: here speed is not a criterion, on the contrary, you need to be patient before a picture or piece of information comes on screen, the artist is not going to reveal himself so easily, he goes about it with a certain modesty, taking his time over it. The striptease is a gradual one, with no interaction. At over 70, Chris Marker has only just discovered the CD-ROM. He saw in it "THE language he had been waiting for since his birth" and devised alone the content of *Immemory*, like a map of his own memory. After some initial annoyance – but whatever has he made a CD-ROM for, when here we are turning pages, just like a book! – you gradually get caught up, enchanted by Chris Marker's imagination... But, apart from the fascination of getting inside someone else's fantasy world, albeit that of one of the major film makers of the period, no further expectations should be held. That is as far as the revelations go: no biography for newcomers, the only possible choice is the aspect of memory you discover – cinema, photography, museums... – and then you get pictures like a slide show and texts – plenty of reading matter – to become imbued with it all.

MARIE NDIAYE
LA NAUFRAGÉE

« Il l'installa chez lui, à Londres, dans un réduit qu'il aménagea en pièce d'eau, avec un vaste baquet où il versait chaque jour de l'eau propre. Le premier jour, il la coucha là-dedans, lui apporta du pain et des fruits, elle n'y toucha pas. Il lui parlait à voix basse, tout en se gardant toujours à distance de son corps. Il lui semblait que le corps de la femme-poisson avait une odeur – une odeur de peur, de mer et de sel mêlés, une obscure puanteur à laquelle il ne voulait pas songer. Il avait son atelier tout à côté, et lorsqu'il laissait ouverte la porte séparant les deux pièces il pouvait la voir qui dirigeait vers lui son œil transparent et triste, et de légers bruits d'eau lui parvenaient, un clapotis sans joie, sans force.

Enfin il se prépara au travail et lui ordonna de chanter. Et tandis qu'elle obtempérait et qu'il constatait encore que la voix de la sirène se situait à la juste limite de la tolérance humaine, et que la même voix imperceptiblement amplifiée (en intensité, non en volume) on ne pouvait l'imaginer que mortelle ou à rendre dément, tandis qu'il comprenait que le danger était là et que la sirène était sienne mais qu'il ne s'agissait, en aucun cas, de s'en remettre à l'amitié ou à la confiance et de croire à sa mesure, à sa bienveillance, il se mit à peindre pourtant, et il tenta de peindre exactement ce qu'il entendait, et précisément ce qu'il ne connaissait pas dans le chant de la sirène, tout l'inconnu qui le constituait, son inhumanité absolue et candide et telle que, il le sentait bien, il ne garderait aucun souvenir de la voix une fois qu'elle se serait tue.

« Arrête, arrête, tais-toi maintenant ! »

Ensuite il alla vers elle, épuisé, tendit la main et lui effleura l'épaule, pour la remercier. Il se sentait abattu, vidé. Le travail était bon, le travail lui semblait même prodigieux. Mais le regard de la sirène était empli de détresse froide, sa peau glacée. La queue grise reposait au fond du baquet, plus répugnante, plus pénible encore à regarder pour lui maintenant que, mouillée, elle ressemblait si bien aux gros harengs qu'on vendait à la criée, en bas de la rue. La sirène était assise et son ventre pâle pendait un peu, sa peau blafarde tremblotait, déformée par l'eau. La sirène était misérable. Il ne savait que faire.

« Je te lâcherai le mois prochain, promit-il. D'ici là, chante pour moi, chante chaque jour, que je travaille comme je n'ai jamais travaillé. »

Il l'utilisa ainsi, quotidiennement, dans l'extase et la crainte, et il alla de cette façon jusqu'où il n'était jamais allé encore, l'indifférence absolue à toute idée ou sensation qui ne lui venait pas de la voix prodigieuse. Le chant de la sirène ignorait les images et les évocations de lieux, d'êtres ou de choses, aussi il supprima tout cela. Il conserva la lumière envahissante, souveraine sur la toile, bien conscient que cette lumière était sa menace : celle, un jour, de ne pas survivre à la voix. »

La naufragée, Marie NDiaye, Flohic Editions (extrait)

"He set her up at his own place in London, in a tiny room which he did out as a bathroom, with a huge tub into which he poured clean water each day. On the first day, he lay her in it, brought her bread and fruit, which she did not touch. He spoke to her in low tones, always keeping at a distance from her body. It was as if the body of the woman-fish had a smell – a smell of fear, of the sea and salt all mixed up, an obscure stench he did not want to think about. He had his studio just next door, and when he left open the door between the two rooms, he could see her gazing at him with her sad, clear eyes, and the gentle sounds of water reached him, a faint, joyless lapping.

At length he got ready for work and ordered her to sing. And as she complied and he once more observed how the siren's voice was just at the extreme limit of human tolerance, and that the same voice imperceptibly increased (in intensity, not volume), you couldn't imagine her anything but mortal or liable to drive you mad, although he understood the danger was there and that the siren was his but that there was no question of getting friendly or showing trust or in believing in her being measured and benevolent, however he set to work painting, and he tried to paint exactly what he heard, and precisely what was unfamiliar to him in the siren's song, all the unknown that went into it, its frank, absolute inhumanity, such that, he knew very well, he would have no recollection of the voice once it fell silent.

– Stop, stop! Be quiet now!

Then he went up to her, exhausted, stretched out his hand and touched her on the shoulder, to thank her. He felt downcast, drained. The work was good, the work seemed even prodigious to him. But the siren's gaze was filled with cold distress, her skin was ice cold. The grey tail lay on the bottom of the tub, even more repugnant and more difficult to look at for him now that, being wet, it was so like those big herring they sold at the fish market down the road. The siren was sitting, her pale belly sagging out a little, her wan skin trembling slightly, deformed by the water. The siren was in a wretched state. He didn't know what to do.

– I'll let you go next month, he promised. Until then sing for me, sing each day, so that I work like I have never worked before.

He used her thus, every day, in ecstasy and fear, and this took him somewhere he had never been before, to total indifference to any idea or sensation that did not come to him from the prodigious voice. The siren's song had no knowledge of images or evocations of places, people and things, so he dispensed with all that. He kept the supreme light bathing the whole canvas, knowing full well that therein lay the threat to himself, the threat of one day not surviving the voice."

La naufragée, Marie NDiaye, Flohic Editions (excerpt)

MARINA ABRAMOVIĆ

CATHERINE FLOHIC

Biographie I. « 1946 : naissance à Belgrade, père et mère partisans. 1948 : je refuse de marcher. 1949 : je ne parle qu'en chantant. 1950 : peur du noir. 1952 : naissance de mon frère Velimir. 1953 : première crise de jalousie. 1955 : ma mère achète une machine à laver. 1956 : violent affrontement entre ma mère et mon père... » Nous sommes en 1992, et Marina Abramović arpente la scène de la Kunsthalle de Vienne tout en « récitant » sa biographie. Arrivée à 1969, elle s'arrête et, sous les projecteurs, entreprend de refaire en quelques gestes une performance de cette année, sa première. Et sans reprendre souffle, elle poursuit sa biographie, alternant vie privée et séquences de certaines de ses performances. Un *digest* « en direct » qui remonte à près de trente ans, lorsqu'elle a commencé à utiliser son corps comme matériau, le blessant, le mutilant, l'éprouvant jusqu'aux extrêmes limites de sa résistance physique et mentale. Elle s'est coupé ongles et cheveux et les a jetés dans le brasier en forme d'étoile au milieu duquel elle s'est étendue, jusqu'à perdre conscience ; elle s'est tracé une étoile sur le ventre avec une lame de rasoir ; elle a prêté son corps au public ; elle s'est étendue nue sur de la glace en dessous d'une rampe à infrarouge ; elle a dansé nue sur le rythme d'un tambour jusqu'à l'effondrement au bout de huit heures ; elle a crié jusqu'à se casser la voix... Biographie II. « 1975 : je rencontre Ulay, (…). Nous décidons de vivre et de travailler ensemble. » Marina est assise sur la scène, elle ne joue plus, elle se retire à côté de leurs images, projetées en deux parties, Ulay et Marina sont face à face, juste séparés par l'obscurité. On sait aujourd'hui que chacun a repris sa propre identité, mais on se souvient de Marina-et-Ulay et de cette tension permanente de deux vers un dans toutes leurs performances. Nus, ils ont couru l'un vers l'autre en se croisant dans un espace réduit et en accélérant leur course, ils finissaient par se fracasser l'un contre l'autre ; agenouillés, soudés par la bouche, ils ont échangé leur souffle, l'un dans l'autre pendant 19 minutes ; l'un sans l'autre, séparés par une cloison, pour reformer leur couple, ils se sont jetés sur le mur comme s'ils pouvaient le traverser ; durant 17 heures, ils sont demeurés dos à dos, liés par leurs cheveux noués... L'un et l'autre, en déséquilibre – Ulay en traction sur la corde d'un arc et Marina bandant l'arc, la flèche pointée sur sa poitrine – ils ont tenu 4 minutes 10 secondes, jusqu'au moment limite de la perte de contrôle... Ensemble, ils auront tenté de vivre la nature, les déserts, la méditation orientale, ils auront fréquenté des moines tibétains, les aborigènes d'Australie et l'art... Ils ont fait un, mais ont toujours été deux, indistincts dans

leur rôles et leurs gestes mais individus différents et sexués. Ils ont mis en tension dans l'art cette impossible collision entre deux êtres hors de la procréation. Il y avait Marina et Ulay, deux artistes, un pôle mâle et un pôle femelle, mais, contrairement aux lois de la physique, dont la fusion est incertaine. Lentement, dans le travail, on les sent avancer vers l'isolement irrémédiable, on dirait qu'ils rallongent entre eux la distance. *Timeless Point of View*, Marina rame sur une barque jusqu'à disparaître à l'horizon, Ulay est sur la rive. *Nightsea crossing*, dans ou hors des musées, ils se sont fait face à chaque extrémité d'une table rectangulaire, 24 heures, 3 jours, 12, 16 jours, immobiles, sans manger, n'absorbant que de l'eau... À partir de 1987 : « Tout se dégrade. Problèmes de couple entre nous. Je me sens indésirable, laide, grosse... » Le 30 mars 1988, *The Lovers* : ils traversent la Muraille de Chine, chacun dans un sens. Ils se disent adieu au point de rencontre après deux mois de marche... Biographie III, Marina seule, puis IV, seule toujours mais qui met en jeu des relations physiques entre le public visiteur de ses expositions et son travail par des objets de transition. Avec des sculptures de minéraux et de cristaux, elle propose une sorte de partage de ces nouvelles exigences d'harmonie dans la méditation à laquelle elle est parvenue. Dans le même temps se poursuivent ses performances où se complexifie le *work in progress*, un travail sur la-vie-œuvre, récurrente, revisitée comme dans *Biographie*. Marina perpétue ses performances publiques désormais associées aux vidéos et aux textes de bandes-son. Particulièrement et violemment abouti est *Balkan Baroque* de 1997, sa performance à la Biennale de Venise, où assise sur un monstrueux ossuaire, trois jours durant, elle a brossé des os en chantant des refrains d'enfance alors que sur des écrans vidéo ses parents eux-mêmes rejouaient des scènes familiales. L'art avec Marina tend vers une sorte d'absolu spectacle vivant de l'épreuve. Bouleversante d'impudeur, radicale, depuis toujours, en se prêtant ainsi à l'art corps et âme, Marina Abramović nous a mis face à nous-mêmes, terriblement. Elle est ce martyr sublime exécutant sa propre tragédie, mais elle est aussi, quand on la connaît, bouleversante de vie et de générosité. Constamment en veille, curieuse de tous les savoirs, infatigable, elle fonce, elle rit, chaude et sensuelle, forte, attachée à sa maison d'Amsterdam et à la terre de nulle part. Un esprit libre dans le corps de l'art, ici magnifiquement, éternellement femme.

Marina Abramović est née en 1946 à Belgrade. Elle vit et travaille à Amsterdam.

Biography. Part I "1946, Born in Belgrade. Mother and father partisans. 1948, I refuse to walk. 1949, Talking like singing. 1950, Fear of dark bedrooms. 1952, Birth of my brother Velimir. 1953, First jealousy attack. 1955, Mother buys a washing machine. 1956, Violent fight between mother and father." This is 1992 and Marina Abramović is walking up and down the stage of the Vienna Kunsthalle "reciting" her biography. When she gets to 1969, she stops and under the spotlights begins to act out a few gestures a performance of that year, her first. Then without stopping for breath, she resumes her biography, alternating her private life with sequences from some of her performances. A "live" digest that goes back almost thirty years, when she first began using her body as a material, injuring it, mutilating it, testing it to the extreme limits of her physical and mental capacities. She has cut her nails and hair and thrown them into the star-shaped furnace in the middle of which she has lain down, to the point of losing consciousness; she has drawn a star on her stomach with a razor-blade; she has lent her body to the public; she has lain out naked on ice under an infrared strip light; she has danced naked to a beating drum for eight hours until she dropped; she has shouted until she was hoarse... Biography II. 1975: "I meet Ulay (..) We decide to live and work together." Marina is sitting on the stage, she has stopped acting, she withdraws alongside their pictures, projected in two parts, Ulay and Marina are facing each other, just separated by darkness. As we now know, each has recovered his or her own identity, but we remember Marina-and-Ulay and this permanent tension of two to one in all their performances. Naked, they ran towards each other, passing each other by in a tight space and accelerating their run, they ended up crashing into each other; kneeling, held together by the mouth, they exchanged their breath, inside each other for 19 minutes; one without the other, separated by a partition, to rebuild their relationship they threw themselves at the wall as if they could pass through it; for 17 hours, they remained back to back, tied together by their knotted hair... One and the other both off balance – Ulay pulling on the string of a bow with Marina bending the bow, the arrow pointed at her chest, they held out for 4 minutes and 10 seconds, up till the moment when they were on the verge of losing control... Together they lived with nature, in the desert, tried oriental meditation, they visited the monks of Tibet, the Australian aborigines, and art... They have done one, but always been two, indistinguishable in their roles and gestures but different, sexed individuals. They have brought into artistic tension that impossible collision between two beings outside of procreation. There were Marina and Ulay, two artists, a male pole and a female pole, but unlike with the laws of physics, their fusion is in doubt. In their work, we feel them moving gradually and irremediably towards isolation, as it were increasing the distance between them. *Timeless point of view*, Marina is rowing a boat till it disappears over the horizon, with Ulay at the water's edge. *Nightsea crossing*, in or out of the museums, they faced each other at each end of a rectangular table, for 24 hours, 3 days, 12, 16 days, motionless, without eating, taking in only water. From 1987: "Everything is going wrong. Problems with our relationship. Feeling unwanted, ugly, fat (...)"
30th March 1988, *The lovers*: they walk along the Great Wall of China, in opposite directions. After two months walking, at their meeting point they say goodbye... Biography III, Marina alone, then IV, alone again but bringing physical relations into play between the public visiting her exhibitions and her work through transitional objects. With sculptures of minerals and crystals, she proposes a kind of sharing of these new demands for harmony through meditation that she has achieved. Meanwhile she continues her performances, complexifying her work in progress, work on her life/work, recurring, revisited as in *Biography*. Marina carries on her public performances now using videos and sound tracks as well. One particularly violently successful performance is *Balkan Baroque* of 1997 at the Venice Biennale, where she sat for three days on a huge ossuary, scrubbing bones and singing childhood songs whilst on video screens her actual parents replayed family scenes. Art with Marina tends towards a kind of absolute living spectacle of the ordeal. Movingly shameless and radical, as she always has been, lending herself in this way body and soul to art, Marina Abramović places us dreadfully face to face with ourselves. She is a sublime martyr playing out her own tragedy, but she is also, when you get to know her, so movingly full of life and generosity. Constantly on the look-out, curious about all kinds of knowledge, she tirelessly goes for it, she laughs, warm and sensuous, strong, attached to her house in Amsterdam and her homeland nowhere. A free mind in the body of art, here magnificently, eternally woman....

Marina Abramović was born in Belgrade in 1946. She lives and works in Amsterdam.

Marina Abramović, Braunschweig, Allemagne, 1998

M A R I N A
A B R A M O V I Ć

ENTRETIEN AVEC DENYS ZACHAROPOULOS

Interview with Denys Zacharopoulos

NINETY : Pour commencer les pages rétrospectives de Ninety, Marina Abramović a choisi de montrer ses premiers tableaux de la fin des années 60. Pensez-vous qu'il y ait un lien entre ces « peintures » et ses performances ?
DENYS ZACHAROPOULOS : Ces premières peintures – des natures mortes –, que Marina a toujours conservées, ont un langage pictural extrêmement décidé et sont pour moi très significatives. Je les tiens comme des constructions mentales extraordinairement éclairantes. Ces natures mortes, aussi étonnant que cela paraisse, se retrouvent dans les performances de Marina Abramović depuis sa séparation d'avec Ulay à la fin des années 80. Une véritable peinture, classique nature morte, est un « outil » posé dont la fonction est d'arrêter le temps, de pointer une vanité, un espace de vie ou de mort. De la même manière, les objets de Marina, les cristaux de *Waiting Room* de 1994 par exemple, sont là pour marquer un arrêt et amener au basculement des grandes questions métaphysiques dans l'infiniment petit du quotidien. Dans les peintures de jeunesse de Marina les objets sont déjà présents, posés comme prêts à être saisis. La peinture était en fait pour elle déjà objet de transition, un intitulé, que l'on retrouvera dans les quartz comme *Shoes for Departure* de 1994 – des cristallisations à ne pas regarder comme telles –, dont la fonction est de « transporter » ailleurs. Avec ses objets, Marina met le spectateur en position d'être le diffuseur d'une énergie qu'il doit capter pour la faire transiter de l'objet lui-même.
N. : L'« objet », et les enjeux plastiques et métaphysiques qui y sont attachés, serait bien le mot clé du travail de Marina. Dans ses performances solitaires de 1972 à 1979 Marina éprouvait en quelque sorte son corps et ses propres limites de résistance comme objet de ses performances, mais qu'en est-il du travail avec Ulay ?
D. Z. : Il faut concevoir l'objet et le sujet. Avec Ulay, le travail à deux est un va-et-vient permanent, l'un devenant l'objet de l'autre, en alternance. On ne sait jamais qui est l'objet ou le sujet. Dans cette performance de 1980, *Rest Energy*, Ulay tend la corde de l'arc et pointe la flèche sur Marina, qui, elle, bande

l'arc. Si l'un des deux craquait, qui serait plus objet que l'autre ? Celui qui perdrait la vie par la flèche ou celui qui désormais aurait à vivre la responsabilité d'avoir tué l'autre ? L'interrogation que pose cette action partagée est bien la question du « sujet » au sens philosophique.
N. : Qu'est-ce qui pour vous fait la spécificité des performances de Marina dans cette période des années 70-80 où de nombreux artistes pratiquaient ce type d'action en public ?
D. Z. : Il faudrait s'entendre sur le terme même de performance, difficile à définir. On pourrait dire qu'il s'agit d'une action aboutie, qui diffère du théâtre en ce que, dans la performance, on doit oublier l'acteur, l'interprète. Mais à l'époque effectivement, nombreux étaient les groupes ou les individus qui pratiquaient des performances, et il est impossible de réduire la profusion et la multiplicité des genres en un terme générique, « performance », que l'histoire voudrait créer comme un raccourci. Il n'y a rien à voir entre les actions de Marina Abramović et celles de Lawrence Weiner, de Kosuth, de Merz ou de Kounellis. Rien dans les gestes ni rien dans le sens.
Lorsque Marina et Ulay, dans leur performance de 1977, *Imponderabilia*, sont nus, en vis-à-vis sur chaque paroi d'un couloir étroit où doivent passer les visiteurs, ils déplacent là toutes les catégories. Dans tout son travail, avec ses dispositifs sans texte, sans esthétique, Marina a interrogé tous les paradoxes de la logique, et dépassé de loin les catégories classiques sujet-objet-homme-femme.
N. : Comment distinguez-vous le travail de Marina, après The Lovers, la dernière action de couple de Marina et d'Ulay en 1988 ?
D. Z. : Pour leur dernière performance, celle des adieux, l'un a commencé sa marche au nord de la Grande Muraille de Chine, et l'autre au sud. Au milieu du parcours, ils se sont croisés après une longue traversée de quatre-vingt-dix jours et 2 000 kilomètres, le 27 juin 1988. Ils se sont définitivement quittés en repartant dos à dos. La durée et

NINETY: To launch Ninety's retrospective pages, Marina Abramović has chosen to exhibit her early pictures from the late sixties. Do you think there is any link between these "paintings" and her performances?
DENYS ZACHAROPOULOS: These early paintings – still lifes – which Marina has kept all this time, possess a very definite pictorial language and for me are very significant. I hold them to be extraordinarily enlightening mental constructions. Astonishingly enough, these still lifes do appear in Marina Abramović's performances since she parted with Ulay in the late eighties. A genuine painting, the classical still life is a sedate "tool" the purpose of which is to stop time, point to a vanity, a space of life or death. Likewise, Marina's objects, the crystals in *Waiting Room* of 1994 for instance, are there to mark a halt and cause the great metaphysical questions to topple over into the infinitely small of the everyday. In Marina's early paintings, the objects are already there, as if ready placed to be picked up. In fact painting itself was for her a transitional thing, a title, that we again find in the quartzes like *Shoes for departure* of 1994 – crystallisations that are not to be looked upon as such – whose function is to "transport" us somewhere else. With her objects, Marina places her spectators in the position of being the diffusers of an energy that they need to collect so as to move it on out of the actual object.
N.: The "object," and its related plastic and metaphysical issues, is probably the keyword in defining Marina's work. In her solo performances of 1972 to 1979, Marina was in a way testing her body and her own limits as the object of her performances, but in her work with Ulay?
D. Z.: We need to visualise both the object and the subject. With Ulay, the work as a pair is a constant two-way thing, the one becoming the other's object, and vice versa. You never know who is the object or who is the subject. In the performance of 1980 called *Rest Energy*, Ulay stretches the bowstring, aims the arrow at Marina as she bends the bow. If one of them were to let go, who would be more the object than the other? The one who would be killed by the arrow or the one who would have to live with the responsibility or having caused the other's death? So this shared action does raise the question of the "subject" in the philosophical meaning of the word.
N.: What for you is specific about Marina's performances during the seventies and eighties, a period when many artists were going in for this kind of public action?
D. Z.: We need to agree about what we mean by this term performance, which is not easy to define. We might call it a successfully completed action, unlike the theatre in that here we have to forget about the performer, the actor. But at the time, it is true, there were numerous groups and individuals doing performances, and you cannot lump the profusion of all the different genres together under a blanket term like performance that historians would like to introduce as a kind of shorthand. There is nothing in common between the actions of Marina Abramović and those of Lawrence Weiner, Kosuth, Merz or Kounellis. Nothing in the gestures and nothing in the meaning. When in their 1977 performance, *Imponderabilia*, Marina and Ulay stand naked opposite each other against either wall of a narrow corridor where the visitors had to pass, this takes them outside of any categorisation. In all her work, with her arrangements with no text, no aesthetic element, Marina has questioned all the paradoxes of logic, and gone far beyond the traditional categories of subject-object-man-woman.
N.: How do you characterise Marina's work after The Lovers, her last work as a couple with Ulay in 1988?
D. Z.: For their final farewell performance, one began walking from the north end of the great Wall of China and the other from the southern end. They met in the middle after a long 2000 km crossing that took ninety days, on 27th June 1988. As they headed off back to back, they separated once and for all. The scale of this action in terms of time and space goes far beyond any reasonable bounds of art as it is commonly practised.
N.: It was not a public performance?
D. Z.: This raised for Marina the question of memory and the faithfulness of an action not performed in the presence of

l'espace de cette action transcendent toute limite raisonnable des coutumes artistiques.

N. : Cette performance n'était pas publique ?

D. Z. : Là s'est posée à Marina la question de la mémoire et de la fidélité d'une action n'ayant pas eu de témoins. Il ne s'agissait pas d'en faire un récit de cinéma avec les raccourcis classiques. Le compromis parfait sera celui d'une vidéo d'une heure avec le moins de mise en scène possible, informative comme le sont les archives documentaires.

C'est à ce moment d'ailleurs que Marina a commencé à explorer son autobiographie. L'interrogation pour Marina était double, comment comprendre et se réapproprier le travail passé et comment le montrer. Que reste-t-il de la vérité, notamment après la séparation ? L'autre manquant, Marina devait le trouver en elle-même. En mêlant simplement sa vie et son œuvre – performances bout à bout et souvenirs année par année –, elle a réuni les éléments de sa vie à ceux de son œuvre. Ce fut le moment pour moi absolument inoubliable, comme pour les spectateurs de la Documenta en 1992. Devant le public elle a réalisé la chose la plus périlleuse qui soit : elle a refait sur scène des extraits de ses performances passées en même temps qu'elle rejouait sa vie réelle. Sa tension et sa concentration étaient extraordinaires, passant par exemple de *Rhythm 10* (« jeu » qui consiste à planter à toute vitesse la pointe d'un couteau entre les doigts de la main) à ses souvenirs personnels, bousculée constamment, en danger permanent. La segmentation du temps calendaire, abstrait, scandait en unités égales la vie dont le temps est fait d'unités parfaitement inégales et infimes. Et quand elle est arrivée au moment présent, là, elle sort de l'éclairage. Arrivée au devant de la scène elle prend une cigarette. Et elle attend. Et toute la salle attend. Marina lève les yeux et « apostrophe » au sens théâtral. Elle demande du feu... Marina sort complètement de la légende, elle est une personne parfaitement quotidienne. Ce n'est pas un coup de théâtre, mais un coup de vie... Et les lumières s'éteignent. Lorsqu'elles se rallument, elle apparaît assise, avec trois énormes pythons enroulés autour de la taille, du cou et de la tête. Le public demeure absolument magnétisé par cette image archaïque, plus forte encore que la *Méduse* du Caravage. C'est le dépassement d'elle-même que Marina offre alors aux spectateurs en rejouant sa performance *Dragon Heads*. Cette

vision restera dans la mémoire de chacun comme un tableau. Il est sûr qu'aucune photo ne pourra jamais rendre l'intensité de ce moment.

N. : C'est pour cela sans doute que Marina, comme l'a fait Rebecca Horn, a commencé à filmer ses actions et à introduire ainsi la vidéo, créant un autre temps de rencontre avec le public.

D. Z. : Oui, mais l'essentiel de son travail est dans sa place seule devant le public. La banalisation de son image, je ne dirai pas la sublimation mais la perte de son identité, réside dans ce face-à-face. Après la séparation de Marina et d'Ulay, le public dorénavant est devenu l'autre, à travers lequel transite en permanence l'énergie. Elle se soumet au public et en même temps demeure elle-même le public. On ne sait plus qui regarde qui. Dans *Balkan Baroque*, performance réalisée à la Biennale de Venise en 1997, Marina a convoqué son passé : sa mère, son père présents dans des vidéos. Et elle, sur un amas incroyable d'os, tachée de sang, elle, elle s'occupe d'un Corps qu'elle brosse, lave, dépose. Elle est une bouleversante pietà qui transgresse toutes les religions, tous les sacrifices. Elle est à la fois Vierge déchue et infirmière démunie dans un champ de bataille que nous ne pouvons concevoir. L'inconcevable excès, ce qui dépasse toute imagination et qui en même temps est plus que réel, c'est cela qui fait le baroque. Marina tente de canaliser l'énergie de ce débordement sanglant des Balkans où elle est née mais qui viennent d'être « réinventés » dans les années 90. Elle nous met face à sa perte d'identité totale. Il n'y a plus de statut de spectateur : tout le monde est acteur et en position de haut risque de devenir objet. Comme dans la performance avec l'arc, l'action échoue s'il y a transition, si elle s'accomplit de façon naturaliste. S'il n'y a pas de transgression, à la place d'un corps, il y a un cadavre, un objet.

C'est bien là que réside toute la force du travail de Marina. Elle ne cesse avec une extraordinaire bienveillance et une humilité rare chez une artiste de cette dimension, avec ce magnifique humour, sa voix grave qui dit des choses très légères et qui dit très légèrement les choses graves, de nous faire nous interroger. En trois dimensions sans la langue mais par le corps, par le sensible, par l'espace et la durée de l'expérience, Marina est de ce petit nombre d'artistes de la fin du XXe siècle qui a réussi à interroger la réalité de la vie, à l'échelle 1.

witnesses. There was no question of turning it into a film narrative with conventional cuts. The perfect compromise would be a one-hour video with as little staging as possible, informative like documentary archives.

It was about this time that Marina began to explore her autobiography. Her problem was twofold: how to understand and regain possession of her past work, and how to display it. What was left of the truth particularly after the separation? With the other one no longer around, Marina had to find him within herself. Simply by mixing her life and her work – placing her performances end to end and her memories year by year – she combined the elements of her life with those of her work. This was for me the unforgettable moment, as it was for the spectators at Dokumenta 1992. In front of a public audience, she pulled off the most dangerous thing she could attempt; she re-enacted excerpts of her earlier performances at the same time as she played back her real life. Her tension and concentration were quite extraordinary as she passed for instance from *Rhythm 10* (a "game" involving stabbing a knife at high speed between the fingers of her hand) to her personal memories, constantly being jostled and in permanent danger. The segmentation of abstract calendar time counted out in equal units life whose time is made up of tiny, absolutely unequal units. And when she gets to the present moment, then she moves out of the lighting. She comes up to the front of the stage and gets out a cigarette. And she waits. And the whole audience waits. Marina raises her eyes and calls out to the audience in the theatrical sense. Asks for a light... Marina steps right out of her legend, she is a perfectly ordinary person. This is no dramatic turn of events, it is an everyday turn of events. And the lights go out. When they come back on, she appears seated, with three huge pythons wrapped round her waist, neck and head. The public is absolutely mesmerised by this archaic image, more powerful even than Caravaggio's *Medusa*. What Marina is offering the spectator at this point by replaying her *Dragon Heads* performance is her surpassing of self. The sight will remain engraved like a picture in everyone's memory. Certainly, no photograph will ever render the intensity of that moment.

N.: No doubt that is why Marina started filming her actions like Rebecca Horn did, and thus introducing video to create a further occasion for meeting the public.

D. Z.: Yes, but her work is basically when she is alone in front of her audience. The way her image has become a commonplace, not the sublimation but I would say the loss of her identity, lies in this confrontation. After she parted company with Ulay, her audience then became the other person through whom the energy is constantly passing. She submits to the public and at the same time she herself is the public. You can no longer tell who is looking at whom. In *Balkan Baroque*, a performance at the 1997 Venice Biennale, Marina called up her past, her mother and father present in videos. And she, spattered with blood on an unbelievable pile of bones, looks after a Body that she brushes, washes, and lays down. She is a deeply moving Pietà that transgresses every religion, every sacrifice. She is at one and the same time a fallen virgin and an ill-equipped nurse on a battlefield beyond our imagination. Such inconceivable excess, both defying the imagination and more than real, is what defines the baroque. Marina tries to channel the energy of this bloody explosion of violence in the Balkans where she was born but which have recently been "reinvented" in the nineties. She confronts us with her total loss of identity. There are no more spectators: everyone is a player now and in a high risk position of becoming an object. As in the performance with the bow, the action fails if there is a transition, if it is carried out naturalistically. If there is no transgression, instead of a body you get a corpse, an object.

Therein lies the great strength of Marina's work. With extraordinary benevolence and uncommon humility for an artist of such magnitude, with that magnificent humour of hers, her grave voice saying very light things and saying grave things ever so lightly, she never stops making us question ourselves. In three dimensions excluding language, through the body, the perceptible, through the space and time of the experiment, Marina is one of the select few artists of the late 20th century who have achieved a full scale questioning of the reality of life.

1966
CLOUD
AND ITS PROJECTION
Fusain sur papier

1971
CLOUD
Installation
Écorce de cacahouète
épinglée au mur

1971
PROJECT – EMPTY SPACE
Installation
Krsto Hegedušić's Master's
Workshop, Zagreb

1973
SPACES
Environnement sonore
Galerie d'art contemporain,
Zagreb

1972
SOUND AMBIENT : AIRPORT
Environnement sonore
Centre culturel universitaire,
Belgrade

1973
RHYTHM 10
Performance
Richard Demarco
Gallery, Édimbourg

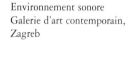

1972
SOUND ENVIRONMENT WHITE
Environnement sonore
Centre culturel universitaire,
Belgrade

1974
RHYTHM 0
Performance
Galleria Studio Mora,
Naples

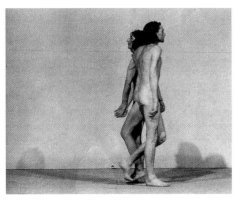

1974
RHYTHM 5
Performance
Centre culturel universitaire,
Belgrade

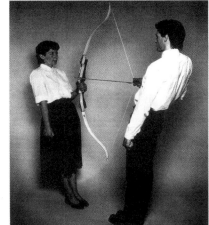

1980
REST ENERGY
Performance
ROSC Festival, Dublin

1975
ART MUST BE BEAUTIFUL,
ARTIST MUST BE BEAUTIFUL
Performance
Art Festival, Copenhague

1982
NIGHTSEA CROSSING
Performance
(douze jours sans parler ni manger,
sept heures par jour immobile)
Stedelijk Museum, Amsterdam

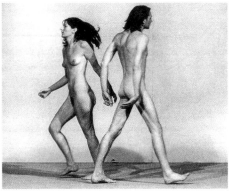

1976
RELATION WORK
Performance
Biennale de Venise

1988
THE LOVERS
Performance
La Grande Muraille,
Chine

1996
DOUBLE EDGE
SMAK, Gand

1977
RELATION IN TIME
Performance
Studio G7, Bologne

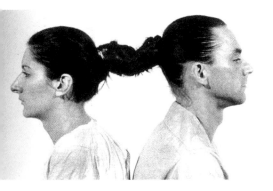

1997
LIPS OF THOMAS
Installation vidéo
Studio Stefania Miscetti,
Rome

© Paco del Gado

« Au cours d'un certain nombre de voyages au Brésil pour mon travail sur *Transitory Objects (Objets transitoires)* je me suis entraînée à faire le vide dans ma tête. J'appelle ces exercices "waiting for an idea" (attendre que l'idée vienne). »

"During several journeys to Brazil to work on *Transitory Objects* using minerals I trained myself to enter a clearer state of mind. Theses exercices I call 'waiting for an idea'."

WAITING FOR AN IDEA. 1991
Brésil

POSEZ VOTRE TÊTE SUR UN COUSSIN DE QUARTZ, REGARDEZ VERS LE HAUT
REST YOUR HEAD ON QUARTZ PILLOW, LOOK UP

GREEN DRAGON. LYING. 1989
Sean Kelly Gallery, New York

CRYSTAL CINEMA Nº 1. 1995
Museum of Modern Art, Oxford

PIEDS NUS DANS CES CHAUSSURES, YEUX CLOS, IMMOBILE, PARTEZ
WITH NAKED FEET ENTER THE SHOES, EYES CLOSED MOTIONLESS, DEPART

SHOES FOR DEPARTURE. 1995
Museum of Modern Art, Oxford

METTEZ-VOUS FACE AU MUR. APPUYEZ VOTRE TÊTE, VOTRE CŒUR, VOTRE SEXE CONTRE LES COUSSINS MINÉRAUX
FACE THE WALL. PRESS YOUR HEAD, HEART, SEX AGAINST THE MINERAL PILLOWS

BLACK DRAGON. 1995
Irish Museum of Modern Art, Dublin

ASSEYEZ-VOUS SUR LA CHAISE. FIXEZ LE CRISTAL DEVANT VOUS (TEMPS ILLIMITÉ)
SIT ON THE CHAIR. OBSERVE THE CRYSTAL IN FRONT OF YOU (TIME UNLIMITED)

WAITING ROOM. 1996
Villa Stuck, Munich

« Je me donne le fouet jusqu'à ce que je cesse de sentir la douleur. » (durée : quinze minutes)
"I am whipping myself to the point where I don't feel the pain anymore." (duration: fifteen minutes)

DISSOLUTION. 1997
Caldas da Rainha, Portugal

« Assise sur une selle de vélo, mes pieds ne touchent pas le sol ; l'intensité de la lumière va lentement croissant dans l'espace. » (durée : soixante minutes)
"Sitting on a bicycle seat, my feet not touching the ground, the intensity of light slowly increases in the space." (duration: sixty minutes)

LUMINOSITY. 1998
Kunstmuseum, Berne

« Je suis allongée nue sur un drap blanc. Un squelette est allongé au-dessus de moi. Je respire profondément et lentement. Le squelette se soulève et redescend au rythme de ma respiration. »
"I lie naked on a white sheet. A skeleton lies on top of me. I breathe deeply and slowly. The skeleton moves up and down to the rhythm of my breathing."

CLEANING THE MIRROR Nº 2. 1997
Studio Stefania Miscetti

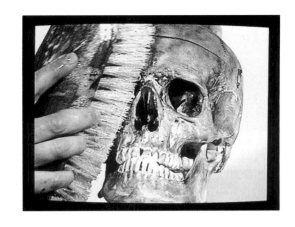

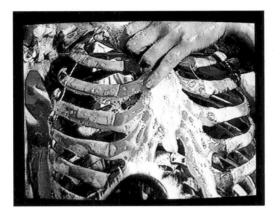

« Je suis assise, un squelette sur mes genoux. À côté de moi, un seau rempli d'eau savonneuse. De la main droite, je frotte vigoureusement différentes parties du squelette. »
"I sit with a skeleton on my lap, next to me is a bucket filled with soapy water. With my right hand I vigorously brush different parts of the skeleton."

CLEANING THE MIRROR N°1 (HEAD, CHEST, HANDS, PELVIS, FEET). 1995
Museum of Modern Art, Oxford

THE ONION. 1996
UTY, Dallas

« Je mange un gros oignon en regardant le ciel et en me plaignant de ma vie. »
"I eat a large onion with the skin, with my eyes looking up to the sky and complaining about my life."

BANDE-SON

Je suis fatiguée de passer d'un avion à l'autre si souvent, d'attendre dans les salles d'attente, les gares routières, les gares, les aéroports. Je suis fatiguée d'attendre ces contrôles de passeport qui n'en finissent pas. Je suis fatiguée de ces emplettes rapides dans les centres commerciaux. Je suis fatiguée d'avoir encore à prendre des décisions de carrière, de ces vernissages dans les musées, dans les galeries, de ces réceptions qui n'en finissent pas, de me tenir debout, un verre d'eau plate à la main, et de faire semblant d'être intéressée par la conversation. Je suis fatiguée de mes crises de migraine. De ces chambres d'hôtel solitaires, avec *room service*, longs coups de téléphone par l'international et mauvais téléfilms. Je suis fatiguée de toujours tomber amoureuse de l'homme qu'il ne faut pas. Je suis fatiguée d'avoir honte de mon nez, trop grand, de mon cul, trop gros, d'avoir honte de la guerre en Yougoslavie. Je veux m'en aller loin, très loin, suffisamment loin pour qu'on ne puisse me joindre ni par fax ni par téléphone. Je veux être vieille, si vieille que plus rien n'a d'importance. Je veux comprendre, je veux voir clairement ce qu'il y a derrière tout ça. Je veux ne plus vouloir.

SOUNDTRACK

I am tired of changing planes so often. Waiting in the waiting rooms, bus stations, train stations, airports. I am tired of waiting for endless passport controls. Fast shopping in shopping malls. I am tired of more career decisions, museum and gallery openings, endless receptions, standing around with a glass of plain water, pretending that I am interested in conversation. I am tired of my migraine attacks. Lonely hotel rooms, room service, long distance telephone calls, bad TV movies. I am tired of always falling in love with the wrong man. I am tired of being ashamed of my nose being too big, of my ass being too large, ashamed about the war in Yugoslavia. I want to go away, somewhere so far that I am unreachable by fax or telephone. I want to get old, really old so that nothing matters any more. I want to understand and see clearly what is behind all of this. I want not to want any more.

IN BETWEEN. 1996
UTY, Dallas

IMAGE OF HAPPINESS. 1996
University, Dallas

« Je suis suspendue tête en bas, je répète mon histoire d'*Image de bonheur*, et le sang me descend à la tête, me rendant la récitation du texte de plus en plus difficile. J'arrête quand je n'en peux plus. »
(durée : cinquante minutes)

"I hang upside down repeating my *Image of Happiness* story, while the blood is going to my head and the repetition of the text becomes more difficult. I stop when I can't stand it any longer"
(duration: fifty minutes)

BANDE-SON

Je suis enceinte, assise dans un rocking-chair près de la cheminée, je fais de la broderie. Mon mari est mineur de fond. C'est en fin d'après-midi, il rentre. Il ouvre la porte et se tient là, debout, couvert de poussière, de crasse et de sueur. Lentement je me lève. J'ouvre la penderie et j'y prends une chemise blanche repassée de frais. J'ouvre le réfrigérateur et je lui sers un verre de lait froid. De sa main droite il prend le verre de lait, il pose sa main gauche sur mon ventre, avec douceur, avec douceur…

Image de bonheur.

Je suis enceinte, assise dans un rocking-chair près de la cheminée, je fais de la broderie. Mon mari est mineur de fond. C'est en fin d'après-midi, il rentre. Il ouvre la porte et se tient là, debout, couvert de poussière, de crasse et de sueur. Lentement je me lève. J'ouvre la penderie et j'y prends une chemise blanche repassée de frais. J'ouvre le réfrigérateur et je lui sers un verre de lait froid. De sa main droite il prend le verre de lait, il pose sa main gauche sur mon ventre, avec douceur, avec douceur…

SOUNDTRACK

I am pregnant, sitting in the rocking chair next to the fireplace doing embroidery. My husband is a coalminer. It is late afternoon, he's coming home. He opens the door and stands there covered with coal dust, dirt and sweat.

Slowly I stand up. I go to the cupboard and from the pile I take a freshly ironed white shirt. I go to the fridge and get a glass of cold milk. With his right hand he takes the milk and he places his left hand on my stomach gently, gently...

Image of happiness.

I am pregnant, sitting in the rocking chair next to the fireplace doing embroidery. My husband is a coalminer. It is late afternoon, he's coming home. He opened the door and stood there covered with coal dust, dirt and sweat.

Slowly I stand up. I go to the cupboard and from the pile I take a freshly ironed white shirt. I go to the fridge and get a glass of cold milk. With his right hand he takes the milk and he places his left hand on my stomach gently, gently...

IMAGE OF HAPPINESS. 1996
UTY, Dallas

CONTRACT
BETWEEN

_____

AND
ARTIST MARINA ABRAMOVIĆ

I agree to commit myself to take an active part in the video installation entitled *In Between*.

I promise that I will stay for the entire duration of the work — 40 minutes — and that I will not interrupt the process with my early departure.

_____   _____
SIGNED   #### DATE

The agreement given to the audience as they enter
Contrat d'accord distribué au public à l'entrée

Contrat établi entre... et l'artiste Marina Abramović
J'accepte de jouer un rôle actif dans l'installation vidéo intitulée *In Between*. Je promets de rester pour la durée totale de l'œuvre – quarante minutes – et de ne pas interrompre la performance en sortant avant la fin. Signature et date

Première partie. Sans public.
« A. Je suis assise sur une chaise, je parle à la caméra comme si c'était le public. B. Allongée sur une table, je fais ma performance. 1. Paume ouverte, je suis les lignes de ma main avec une aiguille fine et acérée. 2. Je me pique le majeur avec une aiguille fine et acérée. 3. De la pointe de l'aiguille, j'étale le sang qui coule sur mon doigt. 4. Un assistant porte l'aiguille à quelques millimètres de mon œil grand ouvert et suit le contour des veines de la pointe de l'aiguille. 5. Il suit les lignes de mon cou avec une aiguille fine et acérée / Il suit les grains de beauté sur ma nuque avec une aiguille fine et acérée. »

Part I. Without public.
« A. I sit on a chair talking to the camera as if it were the public. B. I lie on a table performing 1. Tracing lines on my open palm with a sharp needle. 2. Pricking my middle finger with a sharp needle. 3. Smearing blood over my finger with a needle. 4. Helper holding the needle very close above my wide open eye tracing the veins. 5. Tracing moles on my neck with a sharp needle. »

IN BETWEEN. 1996
UTY, Dallas

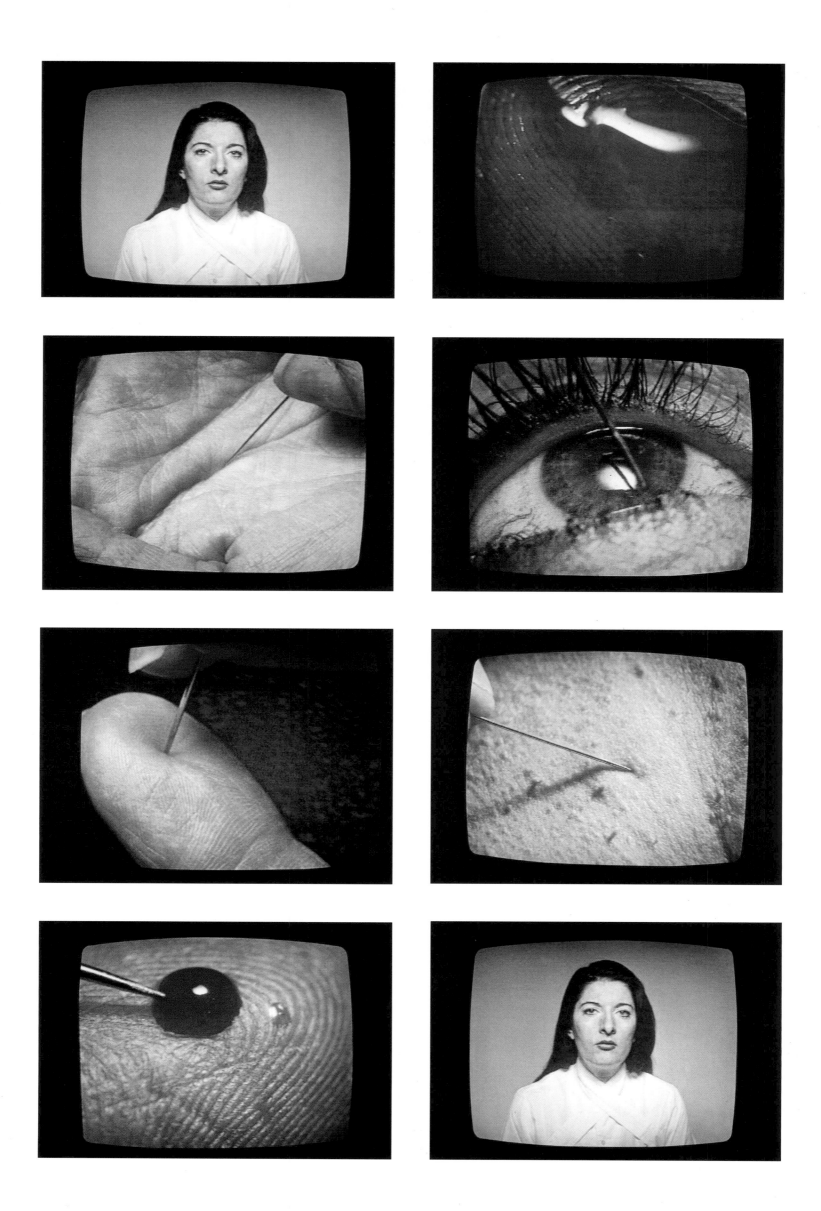

IN BETWEEN, THE TRAIN PROJECT. 1996
Train Project Gynaika, Belgique

Seconde partie. Avec le public.
« Avant de pénétrer dans cet espace, les spectateurs doivent signer un contrat selon lequel ils sont d'accord pour passer quarante minutes dans cette installation vidéo sans s'en aller. Avant que les spectateurs entrent, on leur a donné des masques pour se boucher les yeux et des écouteurs. Quand ils quittent cet espace, l'artiste les remercie pour le temps qu'ils lui ont consacré, et pour la confiance qu'ils lui ont accordée. Hors de ces conditions, l'œuvre ne peut être vue. »

BANDE-SON
Asseyez-vous sur la chaise. Mettez les écouteurs. Faites en sorte d'être bien à l'aise dans vos vêtements. Enlevez chaussures, lunettes et bijoux. Desserrez votre ceinture. Mettez votre masque sur les yeux. Écoutez ma voix. Maintenant, tournez la tête très lentement vers la gauche. Puis tournez-la lentement vers le centre, puis tout aussi lentement vers la droite. Votre nuque se relâche. Maintenant revenez lentement vers le centre. Écoutez ma voix. Tout votre corps doit maintenant être très détendu. Sentez la pression de la chaise sur votre corps. Sentez si votre corps a chaud, sentez si votre corps a froid. Sentez la texture de vos vêtements sur votre peau. Sentez votre peau. Maintenant, concentrez-vous sur vos pieds. Assurez-vous qu'ils sont bien tous les deux en contact avec le sol. Sentez comme le sol vous soutient. Détendez-vous. Inspirez profondément, maintenant, puis expirez. Encore ; inspirez profondément. Expirez. Inspirez. Expirez. Inspirez. Expirez. Inspirez encore profondément, en respirant par le nez, doucement, tout doucement. Expirez profondément par la bouche, en expulsant tout l'air. Sentez vos poumons se gonfler doucement et se vider à chaque respiration, un rythme régulier s'installe. Maintenant, je vais compter pour vous. Un, inspirez. Expirez, deux, inspirez. Expirez, trois, inspirez. Expirez, quatre, inspirez. Expirez, cinq, inspirez. Expirez, six, inspirez.

Expirez, sept, inspirez. Expirez, huit, inspirez. Expirez, neuf, inspirez. Expirez, dix, inspirez. Expirez, onze, inspirez. Expirez, douze, inspirez. Expirez. Maintenant, laissez-vous aller au rythme naturel de votre respiration. Écoutez ma voix. Maintenant sentez de nouveau la présence de la chaise, et le poids de votre corps contre la chaise. Sentez le contact de vos pieds sur le sol. Sentez. Lentement, très lentement, levez les mains et enlevez vos masques. Gardez les yeux fermés quelques instants. Sentez l'espace qui vous entoure. Sentez les odeurs qui vous entourent. Inspirez encore profondément. Ouvrez les yeux lentement. Prenez quelque temps pour regarder attentivement l'espace où vous vous trouvez. Laissez votre conscience prendre note de votre environnement, progressivement. Servez-vous de tous vos sens. Observez. Inspirez profondément. Et expirez. Commencez lentement à vous concentrer sur l'écran. Regardez. Concentrez-vous sur l'ici et maintenant. Nous arrivons à la fin du voyage. Clignez lentement des yeux. Étirez-vous et inspirez profondément, comme si vous veniez de vous réveiller d'une petite sieste agréable. Lentement, bougez les pieds et étendez les jambes devant vous. Continuez à vous étirer et à respirer profondément. Maintenant, lentement, redressez-vous sur votre siège et respirez encore une fois très profondément, détendus. Lentement, levez-vous, enlevez vos écouteurs. Sortez.

▷

ESCAPE. 1998
Melbourne (prison), Australie

Part II. With public.
"Before entering the space the audience is asked to sign an agreement to spend 40 minutes inside the video installation without leaving. Before entering blindfolds and headphones have been given to them. On their way out each of them is given a certificate, in which the artist thanks them for their time and trust. Without fulfilling these conditions, the work cannot be seen."

SOUNDTRACK

Sit on the chair. Put your headphone on. Make sure that your clothes are loose and comfortable. Take off your shoes, glasses and jewelry. Loosen your belt. Put the blindfold over your eyes. Listen to my voice. Now turn your head very slowly to the left. Then turn it slowly back to the middle, and just as slowly to the right. Feel your neck relax. Now slowly come back to the center. Listen to my voice. Your whole body should now be very comfortable. Feel the chair pressing against you. Sense how warm or cold your body feels. Feel the texture of your clothes against your skin. Feel your skin. Now shift your attention to your feet. Make sure both feet are firmly touching the ground. Feel the floor supporting you. Relax. Take a deep breath right now and exhale. Again, a deep full breath. Exhale. Breathe in, breathe out. Breathe in, breathe out. Breathe in, breathe out. Take another deep breath, breathing through your nose, slowly, slowly. Exhale fully through your mouth, pushing all the air out. Feel your chest gently rise and fall with each breath, establishing a smooth rythm. Now I will count for you. One, breathe in. Breathe out, Two, Breathe in. Breathe out, Three, Breathe in. Breathe out, Four, Breathe in. Breathe out,

Five, Breathe in. Breathe out, Six, Breathe in. Breathe out, Seven, Breathe in. Breathe out, Eight, Breathe in. Breathe out, Nine, Breathe in. Breathe out, Ten, Breathe in. Breathe out, Eleven, Breathe in. Breathe out, Twelve, Breathe in. Breathe out, Now just continue to let your breath flow naturally in and out following your own rhythm. Listen to my voice. Now feel again the presence of the chair and your body pressing against it. Feel your feet touching the floor. Feel. Slowly, very slowly, raise your hand and take your blindfold off. Keep your eyes closed for a few moments. Feel, the space around you. Smell the smells around you. Take one more deep breath. Slowly open your eyes. Take a few moments to examine your surroundings. Let your awareness gradually take in more and more of your environment. Use all of your senses. Observe. Take a deep breath. In and out. Slowly start to focus on the screen. Look. Focus your mind in the here and now. We are coming to the end of the journey. Slowly blink your eyes. Stretch your arms and breathe deeply, as if you have just woken from a pleasant short sleep. Slowly Shift your feet and extend your legs in front of you. Continue to stretch and breathe. Now, slowly sit upright and take one more deep relaxed breath. Slowly stand up, remove your headphones. Go.

LAVOIR. 1995
Vidéo, courtesy Sean Kelly
Domaine de Kerguehennec, Bignan, France

LAVOIR. 1995
Vidéo, courtesy Sean Kelly
Domaine de Kerguehennec, Bignan, France

« Images projetées sur trois murs. Ma mère, mon père et moi. Au sol : deux éviers en cuivre et deux baignoires en cuivre remplies d'eau. Au milieu de l'espace, je récure 1 500 os de bœuf frais, sans cesser de chanter des airs populaires de mon enfance. » (durée : quatre jours, six heures).

"Images are projected onto the three walls of the space. My mother, my father and myself. On the floor are two copper sinks and one copper bath filled with water. In the middle of the space I wash 1,500 fresh beef bones, continuously singing folksongs from my childhood." (duration: four days, six hours).

BALKAN BAROQUE. 1997
Biennale de Venise

Je voudrais vous raconter comment nous tuons les rats dans les Balkans. Notre méthode consiste à transformer le rat en loup ; nous créons un rat-loup. Mais avant de vous expliquer cette méthode, je voudrais vous parler un peu des rats eux-mêmes. Tout d'abord, les rats consomment de grandes quantités de nourriture et peuvent aller jusqu'à manger l'équivalent de deux fois leur propre poids. Leurs incisives poussent continuellement, et ils doivent les user constamment en rongeant, sinon ils risquent l'étouffement. Les rats s'occupent très soigneusement de leur famille. Jamais ils ne tuent ni ne mangent les membres de leur propre famille. Ils sont extrêmement intelligents. Un jour, Einstein a dit : « Si les rats pesaient 20 kilos de plus, ils seraient sans aucun doute les maîtres du monde. » Si vous posez une assiette de nourriture empoisonnée devant leur trou, ils le sentent et refusent de manger.

La méthode : pour attraper les rats, il faut remplir d'eau tous leurs trous, en ne laissant qu'une seule issue. On peut ainsi attraper de 35 à 45 rats. Ensuite, on ne garde que les mâles. On les met dans une cage, et on leur donne seulement de l'eau. Au bout d'un moment, ils commencent à avoir faim, leurs incisives commencent à pousser, et, bien que dans des conditions normales ils ne tuent jamais les membres de leur propre tribu, ils sont désormais forcés de tuer le rat plus faible de la cage pour ne pas risquer l'étouffement. Puis ils mangent un autre rat faible, et encore un autre, et encore un autre. Ils continuent ainsi jusqu'à ce qu'il ne reste plus que le rat le plus fort de la cage, celui qui a dominé tous les autres. L'exterminateur de rats continue alors à lui donner de l'eau. À ce stade, le *timing* est d'une importance capitale. Les dents du rat poussent. Lorsque l'exterminateur constate que son rat n'en a plus que pour une demi-heure avant qu'il ne meure d'étouffement, il ouvre la cage, lui arrache les yeux à l'aide d'un couteau et le laisse filer. Le rat est désormais nerveux, scandalisé, en proie à la panique. Confronté à l'imminence de sa propre mort, il court dans son trou et tue tous les rats qu'il croise sur son chemin. Jusqu'à ce qu'il rencontre le rat qui est plus fort que lui, celui qui le domine. Et ce rat le tue. C'est ainsi que nous créons le rat-loup dans les Balkans.

SOUNDTRACK

I'd like to tell you a story of how we in the Balkans kill rats. We have a method of transforming the rat into a wolf ; we make a wolf rat. But before I explain this method I'd like to tell you something about rats themselves. First of all, rats consume large quantities of food, sometimes double the weight of their own bodies. Their front teeth never stop growing and they have to be ground constantly otherwise they risk suffocation. Rats take good care of their families. They will never kill or eat the members of their own family. They are extremely intelligent. Einstien once said ; «If the rat were 20 kilos heavier it would definitely be the ruler of the world.» If you put a plate of food and poison in front of a hole the rat will sense it and not eat.

The Method: To catch the rats you have to fill all their holes with water, leaving only one open. In this way you can catch 35 to 45 rats. You have to make sure that you choose only the males. You put them in a cage and give them only water to drink. After a while they start to get hungry, their front teeth start growing and even though, normally, they would not kill members of their own tribe, since they risk suffocation they are forced to kill the weak one in the cage. And then another weak one, another weak one, and another weak one. They go on until only the strongest and most superior rat of them all is left in the cage. Now the rat catcher continues to give the rat water. At this point timing is extremely important. The rat's teeth are growing. When the rat catcher sees that there is only half an hour left before the rat will suffocate he opens the cage, takes a knife, removes the rat's eyes and lets it go. Now the rat is nervous, outraged and in a panic. He faces his own death and runs into the rat hole and kills every rat that comes his way. Until he comes across the rat who is stronger and superior to him. This rat kills him. This is how we make the wolf rat in the Balkans.

BALKAN BAROQUE (MOTHER, FATHER, MARINA – RAT DOCTOR, MARINA – TJARDASH DANCE, MOTHER – COVERING EYES, FATHER & GUN, MARINA RAT DOCTOR – TJARDASH DANCE). 1997

« Ce travail est un travail que je poursuis et qui a pour origine mes expériences des rituels des aborigènes, des Tibétains et des Indiens d'Amérique du Sud. J'ai décidé d'utiliser pour mon travail le sang de cochon en raison de sa ressemblance avec le sang humain. »
"This work is a work in progress and was made out of experiences of being exposed to ritual activities of Aboriginals, Tibetans and South American Indians. I decided to work with pig's blood because the consistency is closed to human blood."

POWER OBJECT. 1996
SMAK, Gand, Belgique

« Expiring Body est un travail sur les états extrêmes du corps et de l'esprit, au cours duquel la répétition des mêmes mouvements amène celui qui exécute la performance au seuil d'un autre état de conscience. J'ai créé ma propre version du Cadavre exquis en associant des corps issus de différentes cultures. Tête : j'ai filmé mon frère Velimir Abramović – docteur en philosophie en Yougoslavie – parlant de différents sujets tels que l'espace, l'énergie, les différents états de l'esprit et la mort. Torse : j'ai filmé un Africain à Amsterdam lors d'une danse rituelle vaudoue. Pieds : j'ai filmé une cérémonie de marche sur les braises au Sri Lanka. »

"Expiring Body is a work about extreme states of the body and mind where repetition of the same movements brings the performer over the threshold into another state of consciousness. Using the technique of the Cadavre Exquis, I made my own version by mixing bodies from different cultures. Head: I filmed my brother Velimir Abramović, who is a Doctor of Philosophy in Yugoslavia, talking about different subjects, such as time, space, energy, and alpha states of mind and death. Torso: I filmed an African in Amsterdam performing a Voodoo dance ritual. Feet: I filmed a ceremony, Firewalking in Sri Lanka."

EXPIRING BODY. 1998
Fabric Workshop and Museum, Philadelphie

MARINA ABRAMOVIĆ

EXPOSITIONS PERSONNELLES / SOLO EXHIBITIONS

1965 Paintings :
Truck Accidents, Centre of Workers' Union, Belgrade ; Micro Gallery, Youth Cultural Centre, Belgrade.
Theatre DADOV Foyer, Belgrade.
1968 Clouds and Their Projections, Youth Cultural Centre Gallery, Belgrade (paintings).
Yugoslav People's Army House, Belgrade (drawings).
Massaryk's Pavillion, Belgrade (paintings).
1970 Paintings :
Clouds, Youth Cultural Centre Gallery, Belgrade (paintings).
Projects for the Landscape, Gallery T-70, Groznjan, Istria (paintings).
1971 Project for the Sky, Atelier for Visual Arts, Zagreb (drawings).
1973 Empty Sky, Club of the Secretariat of Foreign Affairs, Belgrade (drawings).
Rhythm 10/ Part One (part of Eight Yugoslav Artists), Richard Demarco Gallery, Edimbourg (performance).
1974 Spaces, Gallery of Contemporary Art, Zagreb (installation).
Performances :
Rhythm 5, Expanded Media Festival, Student Cultural Centre, Belgrade.
Rhythm 2, Gallery of Contemporary Art, Zagreb.
Rhythm 4, Galeria Diagramma, Milan.
Rhythm 0, Galleria Studio Mora, Naples.
1975 Rhythms 10, 2, 5, 4, 0, Museum of Contemporary Art, Belgrade (photo documentation of performances).
Freeing the Voice, Galerie De Appel, Amsterdam (video installation).
Photo documentation of performances Rhythms 10, 2, 5, 4, 0, Galerie Krinzinger, Innsbruck ; Galleria Diagramma, Milan ; Studio Morra, Naples.
Performances :
The Lips of Thomas, Galerie Krinzinger, Innsbruck.
Hot/Cold, Fruitmarket Gallery, Edimbourg.
Art Must Be Beautiful, Artist Must Be Beautiful, Art Festival, Copenhague.
Role Exchange, Galerie De Appel/Red Light District, Amsterdam.
Freeing the Memory, Galerie Dacic, Tübingen.
Freeing the Voice, Student Cultural Centre Gallery, Belgrade.
1976 Performances :
Talking About Similarity, Collaboration With Ulay, Signal 64, Amsterdam.
Freeing the Body, Künstlerhaus Bethanien, Berlin.
1977 Galerie Magers, Bonn (photo documentation of Rhythms 10, 2, 5, 4, 0).
MAGMA, Museum of Verona, Vérone (photo documentation of Rhythms 10, 2, 5, 4, 0).
All the following works until 1989 were made/performed in collaboration with Ulay.
1978 Installation One, Stichting De Appel, Amsterdam.
Installation Two, Harlekin Art, Wiesbaden.
Performances :
AAA - AAA, RTB, Liège.
Incision, Galerie H-Humanic, Graz.
Kaiserschnitt, Performance Festival, Wiener Reitinstitut, Vienne.
Work/Relation, Extract Two, Theatre aan de Rijn, Arnhem, Pays-Bas ; Palazzo dei Diamanti, Ferrare, Italie ; Badischer Kunstverein Karlsruhe, Allemagne.
Three, Harlekin Art, Wiesbaden.
1979 One the Way, Audio Arts, Riverside Studios, Londres (sound works).
Installation One, Stichting De Appel, Amsterdam (installation).
Installation Two, Harlekin Art, Wiesbaden (installation).
Performances :
The Brink, European Dialogue, 3rd Biennial of Sydney, Art Gallery of New South Wales, Sydney.
Go - Stop - Back... 1.2.3..., National Gallery of Melbourne.
Communist Body - Capitalist Body, Zoutkeergracht 116, Amsterdam.
1981 Gold Found by the Artists, Nightsea Crossing, Art Gallery of New South Wales, Sydney.

Witnessing, ANZART, The Art Centre, Christchurch, Nouvelle-Zélande (performance).
6WF, The Art Gallery of Western Australia, Perth, Australie (performance).
1982 Nightsea Crossing, Skulpturenmuseum, Marl, Allemagne ; Kunstakademie, Düsseldorf ; Künstlerhaus Bethanien, Berlin ; Kölnischer Kunstverein/ Molkerei, Cologne ; Stedelijk Museum, Amsterdam ; Museum of Contemporary Art, Chicago ; A Space/Town Hall, Toronto ; documenta 7, Kassel (performance).
Luther, Kabinett für aktuelle Kunst, Bremerhaven, Allemagne (installation).
1983 Nightsea Crossing /Conjunction, Museum Fodor, Amsterdam (performance).
Positive Zero, Holland Festival, Theater Carré, Amsterdam ; Muziekcentrum Vredenburg, Utrecht ; De Doelen, Rotterdam (theatre performance).
Modus Vivendi, Progetto Genazzano/Zattera di Babile, Genzzano, Italie (performance).
1984 Performances :
Positive Zero, Stadsschouwburg, Eindhoven.
Nightsea Crossing, Museum van Hedendaagse Kunst, Gand ; Galerie/Edition Media, Furkapass, Furka ; Städtisches Kunstmuseum, Bonn ; Forum Middleburg.

Studio Portrait Marina Abramović, Amsterdam, 1997

© Christina Jentz

Modus Vivendi, Institute of Contemporary Art, Boston.
1985 Performances :
Modus Vivendi, Kunstmuseum, Stadttheater, Berne ; Saskia Theatre, Arnhem.
Nightsea Crossing, Fundacao Calouste Gulbenkian, Lisbonne ; First International Biennial,Ushimado, Japon; 18 Biennial de Sao Paulo, Sao Paulo.
Fragillisimo, (with M. Laub and M. Mondo) Stedelijk Museum, Amsterdam (theatre).
Modus Vivendi : works 1980-85, Galerie Tanja Grunert, Cologne ; University Art Museum, Long Beach ; Stedelijk Van Abbemuseum, Eindhoven ; Kölnischer Kunstverein, Cologne ; Castello di Rivoli, Turin (polaroids).
1986 Nightsea Crossing, New Museum of Contemporary Art, New York (performance).
Risk in Age of Art, University Baltimore, Maryland, USA ; The House, Santa Monica (video document of performance).
Nightsea Crossing ; Complete Works, musée Saint-Pierre d'Art contemporain, Lyon (objects, performance and phographic documentary).
Tuesday/Saturday, Curt Marcus Gallery, New York (polaroids).
Ulay/Marina Abramović, San Francisco Art Institute, San Francisco (polaroids).

1987 Der Mond die Sonne, centre d'Art contemporain, palais Wilson, Genève (Mikado [object] and polaroids).
Ulay/Marina Abramović, Contemporary Art Center, Cincinnati (polaroid and video installation China Ring).
Tuesday/Friday, Galerie René Blouin, Montréal ; Michael Klein, New York (polaroids).
1988 China Ring, Burnett Miller Gallery, Los Angeles (polaroids).
Anima Mundi, Galerie Ingrid Dacic, Tübingen, Allemagne (cibachromes).
1989 Objects :
Boat Emptying/Stream Entering, Victoria Miro Gallery, Londres.
The Lovers, Stedelijk Museum, Amsterdam ; Museum van Hedendaagse Kunst, Anvers.
Green Dragon Lying, Muhka, Anvers.
1990 The Lovers / Green Dragon Lying, collaboration with Ulay, Städtische Kunsthalle, Düsseldorf (objects and performances).
Boat Emptying/Steam Entering, Galerie Ingrid Dacic, Tübingen (objects).
Le Guide chinois, Galerie Charles Cartwright, Paris (photographic installation).
Marina Abramović, Sur la voie, galeries contemporaines, Centre Georges-Pompidou, Paris (objects).

Dragon Heads [formerly known as Boat Emptying/Stream Entering], Museum of Modern Art, Oxford (performance).
Dragon Heads, Edge '92, The Church, Newcastle-Upon-Tyne ; Third Eye Centre, Glasgow (performance).
Boat Emptying/Stream Entering and The Lovers, collaboration with Ulay, Museum of Modern Art, Montréal (performance and objects).
Aphrodite, Communal Centre, Cyprus (objects).
1991 Objects :
For your eyes only, De Waag, Leiden.
Departure, Galerie Enrico Navarra, Paris.
Marina Abramović, Victoria Miro Gallery, Londres.
1992 The Bridge, Galerie Ingrid Dacic, Tübingen, Allemagne (cibachromes).
Objects :
Marina Abramović, galerie des Beaux-Arts, Paris.
Transitory Objects, Galerie Krinzinger, Vienne.
Becoming Visible, galerie des Beaux-Arts, Bruxelles.
Wartesaal, Neue Nationalgalerie, Berlin.
1993 Biography, Theater am Turm [TAT], Frankfort ; Hebbeltheater, Berlin (theatre performance).
Wartesaal, Neue Nationalgalerie, Berlin (installation).

Marina Abramović, Jean Bernier Gallery, Athènes (objects).
Marina Abramović, Palazzo dei Diamanti, Ferrare (objects).
Dragon Heads, Caixa de Pensiones, Barcelone ; Kunstmuseum, Bonn ; Kunsthalle, Hambourg (performance).
1994 Marina Abramović : Departure, Laura Carpenter Fine Art, Santa Fe (objects).
Delusional, Monty Theatre, Anvers ; Theatre am Turum (TAT) Francfort (theatre performance).
Image of Happiness, Steirischer Herbst, Graz (extract of theatre performance Delusional).
Faret Tachikawa, Tokyo (permanent outdoor installation of Black Dragon Pillows).
1995 Biography, Singel Theatre, Anvers (theatre performance).
Biography, Greer Carson theatre, Santa Fe (theatre performance).
Cleaning The Mirror, Sean Kelly, New York (installation & performance).
Objects Performance Video Sound, Museum of Modern Art, Oxford ; Fruitmarket Gallery, Edimbourg ; Irish museum of Modern Art, Dublin (installation touring show).
Cleaning the Mirror, Museum of modern Art Oxford (video installation).
Catalogue Objects Performance Video Sound for The museum of Modern Art, Oxford.
Double Edge, Kunst museum, Kartause Ittinger, Suisse (installation).
Cleaning the House, Amsterdam (book publishing).
Performance Anthology, Video, Drawings, Klaus Fischer Gallery, Berlin (installation).
Cleaning the Mirror, , Sean Kelly Gallery, New York (object installation and performance).
Rapture, the body, ritual + sacred practice, I.C.A. Londres (lecture).
1996 Project ; Chair for Spirits, Dallas (location project).
Project Boat Emptying Stream Entering, University of North Texas, Art Gallery, Denton (video installation Part 1) ; University of Arlington, Center for Research in Contemporary Art, Texas (video installation Part 2).
Objects Performance Video Sound, touring show: Villa Stuck, Munich ; Kunsthalle Brandts Kladefabrik, Odense, Danemark ; Groninger Museum, Groningue, Pays-Bas ; Museum voor Hedendaagse Kunsten, Gand.
Cleaning The Mirror, Villa Stuck, Munich (performance).
Chairs for Man and Spirit, Mindscape Museum for Okazaki City in Japan (installation).
Cleaning the Mirror, Miro Foundation, Palma, Majorque (video & photograph installation).
Biography, Groninger Schouwburg, Groningue, Pays-Bas (theatreplay).
1997 Boat Emptying \ Stream Entering, Sean Kelly, New York (installation exhibition).
Marina Abramović Works, CCA Kitakyushu, Japon (photo & video installation).
The Bridge, City Museum of Contemporary Art, Skopje, Macédoine (video installation).
Solo Works by Marina Abramović (Objects and Video installations), Stefania Miscetti & Zerynthia, Rome.
Planet LuLu, World premiere, Springdance 1997, Utrecht (theatre play by Michel Laub).
Sean Kelly Gallery, Gallery Sean Kelly, New York (video installation Spirit House & Performance).
1998 New Touring Exhibition show Artist Body – Public Body, Kunstmuseum, Berne ; Museum of Contemporary Art, Alicante ; Museum of Contemporary Art, Ljubljana ; Cankajev Dom.
The Hunt, La Gallera, Vanlence (video installation).
The Biography Theatre Play, Theatro Rialto, Valence.
Exhibition Performance, Video, Performance, Museum of Contemporary Art, Sydney.
1999 Fabrica Workshop and Museum, Philadelphie (body video installation).
Beethoven Project, City of Amsterdam, Amsterdam.
Kiasma Kunst Museum, Museum of Contemporary Art, Helsinki (sculpture installation).
Limoges Sculpture Project, ville de Limoges, Limoges.

À la suite d'un enlèvement toujours inexpliqué, je fus enfermé dans cette cave durant plus d'une semaine. Les premiers jours de ma séquestration, en l'absence de tout contact avec mes ravisseurs, je passai mon temps à essayer de dénouer le bandeau qui m'empêchait d'identifier l'endroit où j'étais retenu. Lorsque, au bout du troisième jour, je parvins enfin à m'en débarrasser, j'eus la chance de découvrir – après un temps d'adaptation à l'obscurité ambiante – que l'aspect général de ma prison se révélait pratiquement conforme à celui que je m'étais représenté mentalement durant mon aveuglement forcé. La seule différence fut que, les yeux ouverts, je ne sentais plus cette présence imaginaire que j'avais continuellement supposée à mes côtés les jours précédents. Au sixième jour, la solitude m'accabla tellement que je décidai de remettre mon bandeau.

After a kidnapping which still remains unexplained, I was locked up for over a week in this cellar. During the first days of my confinement, in the absence of any contact with my kidnappers, I spent my time trying to untie the blindfold which prevented me from identifying the place where I was being held. At the end of the third day, I finally managed to rid myself of the blindfold, and was surprised to discover, after a period of adjusting to the surrounding darkness, that the general appearance of my prison turned out to be almost identical to the mental picture I had built up during my forced blindness. The only difference, once my eyes were open, was that I no longer felt this imaginary presence which I had supposed to be continually at my side during the preceding days. On the sixth day, I felt so lonely that I decided to blindfold myself again.

PATRICK CORILLON

Il y a de cela bien des années, un cocktail fut donné chez les Sélys en l'honneur de la parution d'une plaquette regroupant quelques-unes de mes poésies. Ce fut à cette occasion que je rencontrai pour la première fois la pianiste Catherine de Sélys. Je fus directement séduit par l'extraordinaire beauté qui se dégageait de cette femme.

Alors que nous faisions connaissance, un moustique me piqua au poignet ; ce qui me troubla beaucoup. Il faut vous dire que j'ai toujours eu un sentiment de protection et même d'éblouissement pour tous les moustiques qui se rendent porteurs de mon sang ; comme s'ils devenaient par ce fait une émanation de moi-même, comme si j'attendais d'eux qu'ils adoptent mes attitudes, ma manière d'être. Ainsi, tandis que j'étais complètement tombé sous le charme de cette Catherine de Sélys, je voyais mon moustique tourner autour d'elle et, intérieurement, je me disais : « Vas-y pique-la, pique-la. » J'imaginais déjà le creux de son cou comme l'endroit idéal de piqûre. Je ne demandais rien d'autre, pour mon bonheur, que de voir cet animal survoler nos têtes, le ventre gonflé de nos sangs mêlés, comme le fruit soudain de notre rencontre, un fruit qui aurait fait de nous, non pas des coupables, mais d'innocentes victimes unies par la douleur. Mais l'animal ne se décidait pas à la piquer. À un moment même, comme s'il craignait quelque chose, il alla se poser sur un des murs de la pièce. C'est alors que je vis un gros monsieur se précipiter vers lui et l'écraser violemment contre le mur avec ma plaquette de poésie (qu'on avait dû lui donner) et qu'il avait pliée en deux pour mieux frapper. C'était M. de Sélys. Lorsque Catherine me le présenta, j'aperçus le corps de mon pauvre moustique aplati sur le *T* de mon nom inscrit sur la plaquette. Mais je n'eus pas le cœur de rechercher sur le mur une minuscule tache rouge qui avait dû y éclater un instant plus tôt.

Many years ago, the Sélys gave a cocktail party in honour of the publication of a chapbook of my poems. It was on this occasion that I first met the pianist Catherine de Sélys. I was immediately taken with the extraordinary beauty that emanated from this woman. While we were making acquaintance, a mosquito bit me on the wrist, and I was disturbed by this. I should tell you that I have always felt protective towards and dazzled by mosquitoes that become bearers of my blood; as if they become in this way emanations of myself, as if they should suddenly adopt my attitudes, my way of being. So as I was being charmed by Cathérine de Sélys and was watching my mosquito circling her, I kept saying to myself, «Go on, bite her, bite her.» I was already imagining the curve of her neck as the perfect place for the bite. That was all I wanted, all I needed for my happiness to be complete, was to see this animal fly over our heads, its belly swollen with our mixed blood, like the sudden fruit of this encounter, a fruit not of guilt but of pain shared by innocent victims. But the animal just wouldn't bite her. For a moment, as if frightened by something, the mosquito even landed on the wall. Which was when I saw a big man jump up after it and crush it violently with the chapbook of poems that someone must have given him and that he had folded in two the better to swat the mosquito. It was Monsieur de Sélys. When Catherine introduced us, I saw my poor mosquito squashed on the 'T' of my name on the cover. But I didn't have the heart to go and look on the wall for a tiny red stain that must have just been made on it.

LES SOUVENIRS. 1990
Baladeurs et Plexi (la chaîne qui relie les cartels noirs à leur balladeur est composée de trombones que je tordis nerveusement au cours d'un entretien radiophonique retranscrit ci-dessus)

Parce que le dessin des différentes lettres de notre alphabet s'apparente étrangement aux multiples possibilités de leur morphologie, les silmovins, minuscules lézards de nos régions, sont irrésistiblement attirés par les inscriptions gravées dans la pierre.

Ainsi, lorsqu'ils ne peuvent échapper au regard soutenu de certains lecteurs, les silmovins s'immobilisent imperceptiblement en fin de mot, profitant de la mauvaise connaissance actuelle de l'orthographe pour passer inaperçus.

Because the shapes of the different letters of our alphabet are strangely similar to the many possibilities of Silmovin morphology, these tiny lizards that live in our countryside are irresistibly attracted to inscriptions engraved in stone.

Thus, whenever they cannot escape from the reader's steady gaze, Silmovins slink imperceptibly to the end of a word and, taking advantage of today's ignorance of spelling, stay perfectly still to go unseen.

LES SILMOVINS. 1988
Boîte métallique, 35 × 25 × 7 cm, rocher gravé

Jusqu'à présent, les graines d'otoini malingre n'ont pu échapper aux ilnis. Ces insectes parasites profitent de leur ressemblance avec la plupart des pousses pour se nourrir d'une graine tout en lui donnant l'illusion de croissance.
Jusqu'à présent, les graines d'oisilo d'intérieur nourrissent un tel sentiment de dépendance vis-à-vis de la race humaine que seule la terre qui s'est glissée sous les ongles de ceux qui la travaillent leur permet d'éclore.

Until now the seeds of the puny Otoini have not escaped the Ilnis. These parasitic insects take advantage of their resemblance to most of the shoots to feed on a seed whilst giving it the illusion of growth.
Until now the seeds of indoor Oisilo cultivate such a feeling of dependence towards the human race that only the earth that finds its way under the nails of those who work allows them to germinate.

LES FLEURS. 1988
Fil de fer, Plexi et dymo, 130 × 90 × 25 cm chacune

L'isoroi vivace est une plante grimpante réputée pour son insatiable besoin d'eau. Elle ne peut survivre aux étés trop secs qu'en se réfugiant au creux de tuyaux d'arrosage.

The perennial Isoroi is a climbing plant noted for its insatiable need of water. It can only survive very dry summers by sheltering inside a garden hose.

LA FONTAINE DE CLISSON. 1989
Embouts et tuyaux d'arrosage

Lorsque les concepteurs du nouveau transatlantique anglais proposèrent à la merveilleuse actrice Véronique B. d'incarner le *Britannia* pour la statue de leur proue, celle-ci refusa qu'une réplique d'elle-même, en bois de surcroît, lui volât le plus beau rôle de sa carrière et les persuada aussitôt de la fixer elle, en chair et en os, en tête du bâtiment.

Malheureusement, au cours de sa première traversée, les glaces meurtrières précipitèrent le *Britannia* au fond des flots.

À l'arrivée des sauveteurs, la mer ne laissa plus paraître du drame que l'empreinte du corps de Véronique gravée à la pointe d'un iceberg dérivant vers les mers du Sud.

When the designers of the new British liner asked marvellous actress Véronique B... to personify *Britannia* as the ship's figurehead, she replied that she did not like the idea that a replica of herself, and a wooden one at that, should steal the best role of her career. So she convinced them to fasten her in the flesh onto the prow of the ship.

Unfortunately, during its maiden voyage, killer ice-floes sent the *Britannia* to the bottom of the sea.

When the rescue crew arrived, the ocean had covered every trace of the catastrophe except for the imprint of Mary's body which they found on the tip of an iceberg drifting towards the Southern seas.

BLOC ET CHARPENTE DESTINÉS À LA TAILLE ET AU MODELAGE DU BUSTE DE VÉRONIQUE B. 1989
Bloc : bois et Plexi, 160 × 50 × 50 cm. Charpente : métal, 50 × 15 × 3 cm

C'était une Vénus en pierre dont les formes devaient être exclusivement taillées par la seule force de jets d'eau savamment canalisés.

Mais lorsque, à l'inauguration, on coupa les eaux pour découvrir la déesse surgissant des flots, les officiels la jugèrent tellement impudique qu'ils décidèrent de rouvrir les eaux jusqu'à ce qu'elle recouvre un aspect plus décent.

It was a stone Venus whose forms were supposed to have been carved exclusively by the sole force of cleverly channelled fountains.

But when it was unveiled, the water was turned off, revealing the goddess rising up from the waters and the officials judged her to be so immodest that they decided to turn the water back on so that she could recover a more decent appearance.

LA VÉNUS. 1990
Pierre, cuivre et plaque émaillée. 120 × 80 × 80 cm

Du jour au lendemain, je fuyai le régime militaire de mon pays enfermé dans cette caisse en bois. Mais l'odeur dégagée par la sève qui suintait des planches encore fraîches me rappela tant les forêts de mon enfance que je fus saisi d'un inconsolable mal du pays. Lorsque, passé la frontière, mes amis voulurent me libérer, ils me virent tellement attaché à ma boîte qu'ils prirent des couteaux pour décoller la semelle de mes chaussures, qui s'étaient engluées dans la résine.

One day without warning I fled my country's military regime shut up in this wooden crate. But the smell of the sap oozing from the freshly-cut boards reminded me so much of the forests of my childhood that I suddenly felt inconsolably homesick.
Once across the border, my friends set about freeing me; they saw me so firmly stuck to my box that they had to use knives to unglue the soles of my shoes which were stuck to the resin.

LES ILLUMINATIONS. 1991
Bois et verre, 110 × 110 × 110 cm (dim. de la caisse)
De gauche à droite, les objets de mon exil : la caisse, l'appui de fenêtre, la table de nuit, la trappe, le tabouret, le socle, la colonne

Ma nouvelle situation de réfugié politique me poussa à me rendre dans de nombreux jardins publics pour mettre en garde la population contre les dangers du totalitarisme. Durant plus d'une semaine, je me lançai dans des harangues improvisées, juché sur de vieux cageots que j'avais empruntés chez les maraîchers du coin.

Un jour, j'étais à peine monté sur cette caisse à noisettes que la pluie se mit à tomber. J'ouvris instinctivement mon parapluie, puis estimai qu'il n'était peut-être symboliquement pas très glorieux de se protéger ainsi pour prononcer le type de discours dont je me sentais investi. Pourtant, dès que je refermai mon parapluie, la pluie recommença à tomber si drue que je le rouvris à nouveau pour ne pas être trempé jusqu'aux os. Mais lorsque j'aperçus un nombre important de têtes nues se tenir autour de moi, je n'hésitai plus un instant à le ranger définitivement pour entamer mon discours.

Malheureusement, à ce moment précis, toutes les personnes qui s'étaient précipitées vers moi s'en allèrent, profondément déçues de voir que celui qui venait de gesticuler sur sa caisse n'était pas le vendeur de parapluies providentiel qu'elles avaient toutes imaginé.

My new status as a political refugee led me to frequent public parks to warn the population against the dangers of totalitarianism. So for over a week, I launched into impromptu diatribes, perched on old fruit crates borrowed from local greengrocers.

One day I had just climbed onto this old nut crate when it began to rain. I instinctively opened my umbrella, then considered that it was perhaps symbolically not very glorious to take shelter like that while making this type of speech I felt I had to make. However, as soon as I folded my umbrella, it started to rain so heavily that I opened it again to avoid becoming completely drenched. But when I noticed a large number of bare heads around me, without a moment's hesitation, I put it away once and for all to start my speech. Unfortunately, at this precise moment, all those people who had rushed towards me left, deeply disappointed to see that I who had just been gesticulating on my crate was not the providential umbrella peddler they had thought.

LES DISCOURS. 1993
Bois et noisetiers, 55 × 40 × 30 cm

Chaque fois qu'un stupide éditeur refusait de publier un de mes manuscrits, je rentrais chez moi en éprouvant le besoin de me retrouver seul avec moi-même. Avant de m'enfermer de longues heures dans mon bureau, je me frottais rageusement les pieds sur le paillasson pour bien me débarrasser de toute la saleté du monde extérieur.

Un jour, alors que j'étais parti voir un petit éditeur de province, je me sentis soudain tellement incapable d'essuyer un nouveau refus que je rebroussai chemin avant même d'avoir affronté la rencontre. En rentrant chez moi, comme pour mieux me défaire du sentiment poisseux de ma propre lâcheté, je me déchaussai et frottai violemment mes pieds nus sur les poils rêches du paillasson.

Malheureusement, j'avais tellement pris l'habitude d'éliminer toute forme de saleté sur mon paillasson que, lorsque je vis apparaître de sombres traînées rougeâtres sous mes pieds, je ne pus m'empêcher de les frotter encore et encore.

Every time some stupid publisher turned down one of my manuscripts, I went home, feeling the need to be alone with myself. Before shutting myself up for hours in my study, I angrily wiped my feet on the mat to get rid of all the dirt of the outside world.

One day, on my way to see a small provincial publisher, I suddenly felt so completely incapable of facing yet another refusal that I turned back, unable to cope with the meeting. On arriving home, as if to better rid myself of the cloying feeling of my cowardice, I took off my shoes and wiped my bare feet forcefully on the coarse pile of the doormat. Unfortunately, I was so much in the habit of scraping off all forms of dirt onto the doormat, that when I saw dark reddish streaks appear beneath my feet, I could not help rubbing them over and over again.

LE PAILLASSON. 1994
Bois et métal. 30 × 400 × 500 cm

À trente ans, je connus une grave déficience visuelle qui m'ôta progressivement la perception des couleurs. Après avoir rencontré de nombreux spécialistes unanimement impuissants à contrarier le caractère irréversible de mon mal, je me remis, résigné, entre les mains du Dʳ Alfred Wierzel, qui me proposa, non pas de me guérir, mais d'étudier une solution artificielle qui me permettrait d'éprouver à nouveau des sensations colorées.

Partant de la formidable capacité qu'ont les douleurs aiguës de provoquer différents éclairs colorés à l'intérieur du corps, et des points particulièrement sensibles qu'offre la plante des pieds, Wierzel imagina pour moi une paire de chaussures munies de semelles savamment cloutées vers l'intérieur qui, par leur contact incisif avec la peau, pouvaient engendrer, suivant leur position, une variation de douleurs capables de produire n'importe quelle couleur souhaitée.

Par bonheur toutes mes capacités visuelles me revinrent peu après.

Dernièrement, je mis par hasard la main sur une série de petits films en noir et blanc que j'avais tournés durant cette époque tourmentée.

J'ai essayé d'analyser chacun des mouvements brusques qui secouaient mes prises de vues pour tenter de définir la nature précise des différentes douleurs susceptibles d'en être la cause, afin d'en déduire les couleurs correspondantes.

When I was thirty, I suffered a serious eye problem that meant the gradual loss of colour perception. After seeing a number of specialists none of whom could do anything about the irreversible damage, I resignedly gave myself up to Dʳ Alfred Wierzel, who offered, not to cure me, but to look into an artificial solution whereby I might again experience the sensation of colour.

On the basis of the tremendous powers of acute pain to produce different flashes of colour inside the body, and the particularly sensitive areas on the soles of the feet, Wierzel devised for me a pair of shoes fitted with cleverly nailed inner soles which, through their sharp contact with the skin could, depending on their position, produce a variety of pains capable of producing the desired colour.

Fortunately all my visual capacities were restored to me soon after this.

I recently came across a set of short black-and-white films I shot during that distressing period.

I have tried to analyze each of the sudden jolts that shook my takes to try and define the exact nature of the various pains that may have caused them, and deduce the corresponding colours therefrom.

LES VISIONS. 1991
6 films super-huit

Lorsque je vins de ce square pour la première fois (A), je fus directement frappé par l'extraordinaire ressemblance qui existait entre ce lieu et celui que j'avais imaginé comme cadre de l'émouvante rencontre de Jeanne Bernstein et de François Virteuil, les deux héros de mon dernier roman.

De la bifurcation des chemins au tapis de feuilles mortes, tout était parfaitement identique. Seule la présence d'une poubelle s'écartait de la réalité de mon livre. Par souci de conformité, je la jugeai en tel désaccord avec le caractère profondément romantique de ma scène que je décidai de la desceller pour la poser plus loin (B).

Mais à peine avais-je empoigné cette fameuse poubelle que j'aperçus deux personnes me foudroyer du regard (C). Pour dissimuler mes mauvaises intentions, je voulus faire semblant d'y jeter brutalement un quelconque objet, mais ne trouvai dans mes poches rien d'autre à sacrifier qu'un exemplaire de mon propre livre. Refusant un tel acte sacrilège, je me sentis alors contraint d'expliquer à ces personnes les raisons de mon étrange comportement et, pour mieux me justifier, leur lus de longs passages de mon texte.

J'aurais dû me rendre compte que ces deux personnes, au comble de l'irritation, ne m'écoutaient pas, mais se regardaient comme deux amants qui auraient tout accepté, même la destruction d'une poubelle, pour se retrouver enfin seuls dans leur lieu de rendez-vous (D).

When I came from this square for the first time (A), I was immediately struck by the extraordinary resemblance between this place and the one which I had imagined as the setting for the moving encounter between Jeanne Berstein and François Virteuil, the two heroes of my latest novel.

From the fork in the roads to the blanket of autumn leaves, everything was exactly the same. The presence of this dustbin alone wavered from the reality of my book. With an amazing care for conformity, I considered it to be so completely out of character with the profound romanticism of the scene that I decided to remove it and place it further away (B).

Having just taken hold of this very dustbin, I noticed two individuals glaring at me (C). To disguise my ill-intent, I tried to pretend to be brutally throwing some object into it, but the only thing I found in my pockets which I could sacrifice was a copy of my own book. Refusing to commit such a sacrilegious act, I thus felt compelled to explain the reasons of my strange behaviour to these individuals and, to justify myself further, read long passages of my text to them.

Little did I realise that these two individuals, being greatly irritated, were not even listening but were looking at each other like two lovers willing to accept all, even the destruction of a dustbin, to find themselves finally alone at their meeting place (D).

LA POUBELLE. 1992
Métal et Plexi, 160 × 35 × 35 cm

Il y a quelques années, après avoir essuyé un violent orage, je profitai d'une accalmie pour m'asseoir sur un banc de ce jardin et me sécher un peu. Soudain, j'aperçus en face de moi une jeune fille, les yeux timidement fixés dans ma direction, un carnet de dessin à la main. Estimant qu'il devait s'agir d'une étudiante des beaux-arts, j'acceptai par sympathie de me faire croquer dans des vêtements pourtant si défraîchis par la pluie et la boue que je devais passer davantage pour un clochard que pour un écrivain.

La jeune fille, rouge d'émotion, eut malheureusement juste le temps d'esquisser quelques traits, que la pluie refit brutalement son apparition.

Durant la nuit qui s'ensuivit, je ne cessai de penser à cette pauvre jeune fille qui s'était courageusement lancée devant moi dans ce qui était peut-être son premier portrait sur le vif.

Le lendemain, poussé par l'espoir de revoir mon étudiante, et déterminé à tout faire pour l'aider à achever son dessin, je vins reprendre ma place de modèle dans les mêmes vêtements souillés de la veille.

Ce même jour, alors qu'elle ne se doutait pas qu'il pleuvait dehors, Josépha D. se trouvait au BHV, achetant tout le matériel dont son frère avait besoin pour réaliser son portrait.

Sur le chemin du retour, harassée par les grands cartons à dessins qui l'encombraient, elle vint se reposer un instant sur un banc de ce jardin.

Soudain, elle aperçut en face d'elle un clochard si pitoyable qu'elle décida, malgré son extrême timidité, de lui montrer qu'au moins quelqu'un dans cette ville s'intéressait à lui. Elle prit fébrilement le carnet de croquis destiné à son frère et fit semblant de dessiner ce pauvre homme. Malheureusement, la pluie vint interrompre ses bonnes intentions, et elle rentra en catastrophe chez elle.

Le lendemain, rongée par les remords d'avoir lâchement abandonné un laissé-pour-compte à sa terrible solitude, elle décida de revenir sur son banc avec l'espoir d'y revoir son protégé et d'y poursuivre son simulacre.

A few years ago, after being out in a violent storm, I took advantage of a lull to sit down on a bench in this garden and dry out a little.

Suddenly, I noticed a young girl in front of me, shyly looking in my direction, holding a sketchbook. Assuming she was a student of Fine Arts, I accepted out of sympathy to have my picture drawn in these clothes, so soiled by rain and mud that I could easily pass for a tramp rather than for the writer that I was.

The girl, blushing with excitement, unfortunately just had time to pen a few strokes, as it suddenly started to rain again.

During the following night, I could not stop thinking about that poor girl who had bravely thrown herself like that into what was probably her first portrait from life.

The next day, driven by the hope of meeting my student again, and determined to do everything I could to help her finish her drawing, I came back to take my place as a model in the same soiled clothes as the day before.

That same day, not suspecting that it was raining outside, Josepha D. was in the B.H.V. store, buying everything her brother needed to draw her portrait.

On the way back, harassed by the large drawing pads with which she was laden, she sat down for a moment on a bench in this garden.

Suddenly, she noticed in front of her a tramp so pitiful that she decided, despite her extreme shyness, to show him that at least someone in this town was interested in him. Feverishly she took the sketchbook intended for her brother, and pretended to draw the poor man.

Unfortunately the rain interrupted her good intentions, and she returned home in great haste.

The following day, consumed with remorse of having like a coward abandoned an outcast in his dreadful desolation, she decided to return to her bench hoping to see her protege again and to pursue her pretence.

L'ORAGE. 1992
Métal et Plexi, 160 × 35 × 35 cm

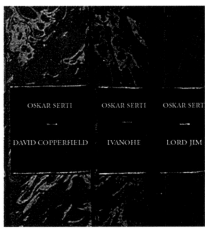

À vingt ans, j'affichais de telles prétentions quant à mes connaissances littéraires que je m'interdisais de reconnaître en public mon ignorance d'un quelconque livre.

Ainsi, même si l'on évoquait en ma présence des romans que je ne connaissais pas, j'étais passé maître dans l'art de m'intégrer dans la conversation et de parler avec conviction de ce que je n'avais pas lu. Emporté par mon imaginaire, je m'inventais inconsciemment les scénarios que je supposais être contenus dans ces livres et, sans vergogne, attribuais à de célèbres auteurs des histoires qui n'étaient que pure production de mon esprit.

Beaucoup plus tard, lorsque je pris finalement la peine de lire quelques-uns de ces romans, j'eus la très vive impression d'y retrouver mot pour mot les mêmes récits que mon ignorance avait jadis engendrés. Par un cruel retour des choses, je me sentis alors dépossédé d'œuvres que je considérais comme faisant partie intégrante de ma création.

Pour qu'on puisse enfin reconnaître mon statut d'auteur à sa juste valeur, je décidai de faire publier ces histoires sous mon propre nom.

When I was 20, I was so pretentious about my literary culture that I never let myself publicly admit to not having read a book.

Thus, even when someone was talking about novels I had never heard of, I would masterfully slip into the conversation and speak with conviction about something I had not read. Letting myself get carried away, I would invent the plots I supposed the books contained and, shamelessly, attribute the pure fabrications of my own imagination to famous authors.

Much later, when I finally took the trouble to read a few of the books I had expounded upon, I had the vivid impression of reading, word for word, the stories that my ignorance had once invented. The clincher was that I then felt dispossessed of the books that I had come to consider as part of my own literary production.

In order to gain recognition for my status as an author at its true value, I decided to have the stories republished under my own name.

L'IGNORANCE. 1993
Livres d'auteur, 21 × 46 × 13 cm

Chloé et moi avions pris l'habitude de venir au bord de cet étang les premiers beaux jours d'été. Après la baignade, nous nous étendions sur ces bords pour nous faire sécher au soleil. Chloé se plongeait dans son livre ; je passais mon temps à regarder les grains de beauté qui émaillaient son dos. C'était grâce à eux que j'avais appris à compter (addition des plus gros, soustraction des plus fins, division du tout par les plus noirs). Mais je ne savais encore ni lire ni écrire. Chloé, elle, savait tout. C'était l'aînée.

Son livre était piqué de petites taches rousses assez semblables à celles de son dos. Dès qu'elle tournait une page, j'y repérais les taches. Quand la ressemblance avec les siennes était vraiment trop frappante, je demandais à Chloé le sens des mots qui se trouvaient autour. Elle m'apprit à les lire. Je retins l'histoire de son livre par cœur en la greffant mentalement sur ses grains de beauté.

Puis un jour – sans doute m'avait-elle assez donné – je ne la revis plus.

Je revins à l'étang avec d'autres filles. Mais ce n'était plus pareil. Elles avaient mon âge, et ne lisaient pas. Je n'attendais rien d'elles. Je restais des après-midi entières à m'ennuyer en leur compagnie. J'avais beau regarder leur dos, je n'y trouvais que des histoires sans intérêt. Ma seule distraction était de voir le soleil faire peu à peu rougir leur peau. À la fin de la journée, je passais mon temps à jeter à l'eau les petits morceaux de peau morte qui se détachaient de leur dos. Mais la blancheur de la nouvelle peau que je mettais au jour, son absence totale de pigmentation, me paraissait monstrueusement vide. Il fallait que j'y greffe quelque chose. Il fallait que j'apprenne à écrire.

Chloë and I used to come to the banks of this pond during the first fine days of summer. After a swim, we would stretch out on this beach to dry in the sun. Chloë would dive into a book; I spent my time looking at the beauty spots scattered across her back. This is how I learned to count - adding the largest ones together, subtracting the smallest, dividing their sum by the darkest. But I did not yet know how to read and write. Chloë, of course, knew everything. She was the eldest.

Her book was foxed with small red speckles rather like the ones on her back. As soon as she turned a page, I would locate the new spots. When their similarity to the ones on her back was too striking, I would ask her what the words around them meant. She taught me to read them. I learned the story of her book by heart by mentally grafting it onto her beauty spots.

Then one day - she had probably given me all she could - I did not see her again.

I came back to the pond with other girls. But it was not the same any more. They were my age and did not read. I expected nothing from them. I spent entire afternoons feeling bored in their company. However hard I stared at their backs, I could make out no interesting stories. My sole diversion was to watch the sun slowly redden their skin. At the end of the day, I would pass the time casting into the water the small shreds of dead skin that had peeled off their backs. But the whiteness of the new skin I uncovered, its complete absence of pigmentation, seemed monstrously empty to me. I had to graft something onto it. I had to learn to write.

LA LECTURE. 1995
Bois, métal, papier et câble, 130 × 6 × 20 cm

Quelques mois après ma rencontre avec Catherine, un doute m'avait envahi : et si quelqu'un d'autre s'était glissé entre nous, et qu'elle n'osât me l'avouer ? De plus en plus régulièrement, c'était elle qui me demandait d'aller la dessiner dans la forêt. Les poses duraient des heures. Elle devait sûrement profiter de ces séances pour se dérober à moi. Je ne remarquais pourtant rien, bien que ma concentration fût extrême. Mais peut-être étais-je comme ces insomniaques qui croient ne pas avoir fermé l'œil de la nuit, alors que leur état de veille a été entrecoupé d'un sommeil dont ils n'ont pas pris conscience.

Pour empêcher tout écart de sa part, je la fis se mettre en équilibre sur la plus haute branche d'un noyer et, durant la pose, ne cherchai à porter mon attention que sur les mouvements suspects qu'elle ferait. Mais elle ne bougeait pas. Dans la position où je l'avais placée, il était pourtant inconcevable qu'elle pût rester aussi longtemps immobile sans qu'une force extérieure – quelqu'un par exemple – fût derrière elle pour la maintenir.

Même si je ne le voyais pas, je décidai de me concentrer uniquement sur la présence de ce quelqu'un. Je restai si longtemps à le guetter si intensément qu'un moment je fus pris de vertige et faillis défaillir. Mais je me ressaisis d'un coup, comme si une main mystérieuse m'avait brusquement retenu par la peau du dos.

La vérité m'apparut enfin. S'il y avait quelqu'un, il n'était pas dissimulé derrière elle, mais bien derrière moi. Elle ne restait bien cambrée sur sa branche que pour mieux séduire celui-là qui, dans mon dos, me tenait comme une marionnette agitée par ses doutes.

A few months after meeting Catherine, I had been assailed by doubt: What if someone else had come between us, and she did not dare tell me? More and more regularly, she was the one who asked me to draw her in the forest. She posed for hours. She was doubtless taking advantage of these sessions to get away from me. I did not notice a thing, even though my concentration was extreme. But perhaps I was like those insomniacs who think they haven't slept a wink when in fact their waking state has been broken by a sleep of which they were not conscious.

In order to prevent any misconduct on her part, I made her balance on the highest branch of a walnut tree and as she posed, I decided to pay attention only to any suspicious moves she might make. But she didn't move at all. In the position in which I had placed her, it was inconceivable that she could hold the pose for so long unless there were an external force - someone, for example - holding her up from behind.

Though I could not see him, I decided to concentrate solely on the presence of this someone. I watched so intently and for so long that I began to feel dizzy and almost fainted. But I came to in an instant, as if a mysterious hand had caught me up by the skin of my back.

At last the truth dawned on me. If there was someone else there, he was hiding not behind her but behind me. The reason she managed to balance high on the branch with her chest thrown out was to better seduce the person standing behind me, holding me like a puppet filled with doubt.

AU FOND DE LA FORÊT. 1997
Bois

Un jour, alors que je me promenais dans la forêt de Fontainebleau, je reconnus l'arbre qui avait servi de modèle à Édouard Manet pour son célèbre *Déjeuner sur l'herbe*. La perspective de faire partie intégrante d'un tableau me poussa à venir m'allonger au pied de l'arbre dans la même position que le personnage qui y était représenté.

Mais après quelques minutes, je me sentis envahi par une colonne de fourmis. Je me rendis alors compte que ce que j'avais toujours pris pour une craquelure dans le bas de la toile représentait en fait le passage des insectes sur les jambes du personnage. Préférant ne pas prendre le risque de vérifier l'origine des autres craquelures qui recouvraient le personnage, je me levai en catastrophe et poursuivis mon chemin.

One day, while I was out walking in the forest at Fontainebleau, I recognised the tree that Edouard Manet used as a model for his famous *Déjeuner sur l'Herbe*. The prospect of actually entering into a painting enticed me into lying down at the foot of the tree in the same pose as the character depicted there.

But after a few minutes, I felt I was being invaded by a column of ants. It was then that I realised that what I had always taken for a crack at the bottom of the painting was in fact these insects passing over the character's legs. Preferring not to check the original cause of the other cracks that covered the character, I jumped up and continued my walk.

LA SIESTE. 1995
Béton, h. 100 cm, diam. 30 cm

Nous n'avions pas quinze ans. À la Seigneurie, c'était l'été de la grande épuration. Régulièrement, des condamnés étaient jetés dans l'escalier du donjon. Les après-midi d'exécution, nous avions pris l'habitude de nous retrouver à proximité du donjon, de l'autre côté de la rivière. On nous appelait la bande des trois. Nous remplissions nos poches de myrtilles, de fleurs de genêt, de champignons rouges. Dès qu'au loin nous entendions l'ordre de jeter un condamné, nous prenions en mains les fruits de nos récoltes, et, dans une folle mêlée, nous nous en barbouillions joyeusement nos visages, bras et jambes. Nous roulions sur la mousse, puis nous nous écroulions comme si nous venions d'atterrir au pied du sinistre escalier, le corps couvert des couleurs qui devaient consteller les membres défaits des victimes du donjon.

Quelques mois plus tard, au cœur de l'hiver, nous marchions le long de la rivière lorsque nous entendîmes un ordre d'exécution provenir du haut du donjon. Le premier moment de surprise passé, nous sentîmes monter en nous comme un besoin incontrôlé de voir naître sur nos corps les couleurs de la chute. À défaut de fruits, nous nous précipitâmes sur les cailloux qui bordaient la rivière et nous rouâmes de coups. Durant notre lutte, nous n'eûmes pourtant pas le cœur de crier comme autrefois, et, dans notre silence, pour la première fois, nous entendîmes distinctement les hurlements qui s'échappaient du donjon.

We were not yet fifteen. At the castle it was the summer of the great purge. At regular intervals the condemned were thrown down the steps of the tower. On execution afternoons we would meet opposite the keep, on the other side of the river. They called us the gang of three. We used to fill our pockets with blackberries, broom-flowers and red toadstools. As soon as we heard the distant command to throw down a condemned prisoner, we took the fruits of our foraging and joyously smeared our faces, hands and legs in a mad free-for-all. We rolled in the moss, then collapsed as if we had just landed at the foot of the sinister stairwell, our bodies daubed with the colours which must also have marked the broken limbs of the victims in the tower.

Some months later, in the depths of winter, we were walking along the river when we heard the execution command shouted from the keep. After the first moment of surprise, we felt the irresistible urge to see the colours of the fall upon our bodies. For want of fruit, we threw ourselves down on the stones beside the river and beat each other black and blue. But while we fought, we hadn't the heart to shout and scream as we used to do, and in the silence we clearly heard, for the first time, the howling coming from the keep.

L'ESCALIER DU DONJON. 1996
Bois et métal, 400 × 500 × 500 cm

Nous n'avions pas dix ans. La nuit avait apporté les premiers froids polaires, et le petit matin nous fit découvrir la rivière gelée. Le soleil était blanc, encore bas ; il émergeait à peine derrière les tours de la Seigneurie tant redoutée. Comme chaque matin, il projetait l'ombre du donjon sur la rivière ; mais ce jour-là, la couche de glace donna une réalité particulière à l'image du bâtiment. C'était comme s'il nous était enfin permis de découvrir cet endroit inaccessible dont on nous avait raconté les histoires les plus extraordinaires. Nous glissâmes sur la rivière à la découverte de ce que nous appelâmes le « donjombre ». Le donjombre s'étendait jusqu'aux chutes. Ses créneaux allongés affleuraient le début de la cascade. Il n'y avait plus de temps à perdre, car bientôt l'ascension du soleil les précipiterait dans les chutes. Nous pénétrâmes dans le donjombre.

La couche de glace était encore peu épaisse ; à chaque pas, une bulle d'air se déformait sous nos pieds. Au fur et à mesure de notre progression, les bulles d'air prirent des formes de plus en plus monstrueuses. Notre passage libéra le donjombre de tous ses dragons. Nous les baptisâmes chacun des noms les plus terrifiants. Leur danse macabre que nos pas tremblants provoquaient s'accompagnait de sinistres craquements qui éclataient dans le paysage engourdi par le gel. Nous étions terrorisés, mais une force obscure nous poussa jusqu'au sommet. Nous nous assîmes sur le rebord de la chute, chacun dans un créneau. Le silence de l'eau figée nous donnait l'impression de dominer le cours des choses. Nous étions les maîtres. Le monde s'était immobilisé à nos pieds. Lorsque nous nous relevâmes, le donjombre avait depuis longtemps disparu de la surface de la rivière. Il s'étalait alors dans la forêt, qu'il ratissait lentement de ses créneaux pour capturer les animaux fabuleux que nos pas auraient à libérer le lendemain matin.

We were not yet ten years old. The night had brought the first polar chill and at first light we saw the river was frozen. The sun was white, still low. It had hardly showed behind the towers of the dreaded Castle. As it did every morning, it cast a shadow of the keep on the river. But that day the layer of ice lent a special solidity to the image of the building. It was as if at last we were going to be allowed to explore this inaccessible place we heard such extraordinary tales of. We went sliding over the river to visit what we called the Shadowtower. The Shadowtower stretched right to the waterfall. Its elongated battlements just reached the beginning of the cascade. There was no time to lose; soon the rising sun would hurl them over the falls. We entered the Shadowtower.

The ice-layer was still thin; at every step, an air-bubble changed shape under our feet. As we went further and further, the air-bubbles took on more and more monstrous forms. Going along, we liberated all its dragons from the Shadowtower. We called each one by the most terrifying names. Their devil-dance caused by our trembling steps was accompanied by sinister cracking sounds which rang out over the frosty countryside. We were terrified, but a strange force impelled us on to the summit. We sat down at the edge of the falls, each of us perched between two battlements. The silence of the frozen water made us feel we could direct the course of events. We were the masters. The world stood still at our feet. By the time we stood up the Shadowtower had long disappeared from the surface of the river. Now it stretched over the forest, slowly raking it with its battlements, to ensnare the legendary animals which our footsteps would free the next morning.

LES RADEAUX. 1996
Bois, métal, micros et enceintes acoustiques

Comme bien d'autres avant moi, un jour, je reçus une lettre du ministère de la Guerre, me priant de bien vouloir rejoindre le front.

La nuit même, je me réveillai en transpiration, tenaillé par l'angoisse de sentir le monde s'écrouler sous mes pieds. D'un bond, je quittai mon lit et tournai en rond dans ma chambre pour essayer de reprendre mes esprits.

Peu à peu, je parvins à me calmer ; j'atteignis même un état de félicité que je n'avais plus connu depuis ma prime enfance. Je retrouvais cette douce chaleur qui m'étreignait lorsque j'entendais mon père venir d'un pas réconfortant dans ma chambre pour me donner le baiser du soir.

Perdu dans mes pensées, je m'aperçus soudain que, depuis un moment, je ne tournais plus vraiment en rond, mais que je m'étais mis à suivre dans ma chambre une trajectoire bien particulière. Celle-ci m'amenait à éviter de poser le pied sur certaines lames du parquet, pour m'attarder au contraire sur d'autres.

Je compris alors qu'instinctivement je venais de retrouver avec une parfaite fidélité le grincement du plancher qui accompagnait les pas de mon père quand celui-ci entrait dans ma chambre d'enfant.

Après m'être bercé du bruit des planches durant plus d'une dizaine de tours, je commençai à me sentir suffisamment apaisé pour espérer reprendre le sommeil. Mais je préférai poursuivre ma ronde jusqu'au petit jour ; hanté par la crainte qu'en regagnant mon lit je fasse grincer le parquet comme lorsque mon père, après m'avoir embrassé sur le front, me laissait seul dans la nuit noire.

One day, like many others before me, I received a letter from the War Office, inviting me to kindly join the front. That same night, I woke up in a sweat, tormented by the fear that the world was crumbling beneath me. I leapt out of bed with a single bound and began pacing round and round the room in an effort to pull myself together.

Little by little I managed to calm myself: I even reached a state of felicity which I had not felt since my early childhood. I felt the soft warmth which used to surround me when I had heard the comforting step of my father coming to give me his goodnight kiss.

Lost in my thoughts, I suddenly realised that I was no longer circling the room, but following a precise route. The route led me to avoid treading on certain strips of the parquet, and to move more slowly over others.

I instinctively realised that I had managed to trace, with perfect accuracy, the creaking of the floorboards that accompanied the footsteps of my father when he entered my childhood bedroom.

After comforting myself with the noise of the floorboards a dozen times over, I began to feel calm enough to go back to sleep. But I chose to go on pacing my route until daybreak, haunted by the fear that if I went back to bed I would make the floorboards creak as they had when my father, having kissed me on the forehead, left me alone in the darkness of the night.

LA MAISON D'OSKAR SERTI. 1997
Bois, CD et système électronique, 200 × 600 × 120 cm

En ouvrant avec difficulté la porte de la deuxième remise, je poussai un petit cri dont l'écho donna un timbre si particulier à ma voix qu'il la fit remonter bien des années en arrière ; à une époque où je vivais seul avec mon père, après que ma mère nous eut quittés. Je passais alors des heures à le regarder travailler à son bureau, et surtout à attendre que le téléphone sonne. Je restais subjugué de voir avec quelle aisance mon père pouvait décrocher le téléphone et prendre la voix de ma mère pour dire : Attendez, je vais voir s'il est là. Il allait jusqu'à la porte qu'il ouvrait bruyamment, s'appelait dans l'escalier, puis revenait jusqu'au téléphone. S'il avait envie de parler au correspondant, il reprenait sa voix normale ; sinon la voix féminine disait : Il n'est pas là, mais il vous rappellera dès son retour.

Un jour, j'entendis avec surprise mon père décrocher le téléphone et dire d'une voix que je ne lui connaissais pas : Attendez, je vais voir s'il est là. Il alla jusqu'à la porte, mais il ne s'appela même pas ; il semblait perdu. Il resta si longtemps dans l'ouverture de la porte à tenter de se retrouver que j'eus pitié du correspondant et répondis au téléphone. J'entendis alors la voix lointaine de ma mère qui, après quelques banalités d'usage, me demanda si mon père était là. Je répondis que oui, l'appelai doucement dans l'escalier, puis revins au téléphone pour imiter sa voix à la perfection.

As I opened with some difficulty the door of the second shed, I let out a little cry which echoed giving my voice such a distinctive tone that it took me back many years into the past, to a time when I lived alone with my father after my mother had left us. In those days I would spend hours watching him working at his desk, mostly waiting for the phone to ring. I marvelled at seeing with what ease my father could unhook the phone and imitate my mother's voice saying: One moment, I'll see if he is in. He would go to the door, opened it noisily, called himself up the stairs, then came back to the phone. If he felt like speaking to the caller, he would revert to his normal voice; otherwise the woman's voice would say: He is not in, but he will call you as soon as he gets back.

One day, I was surprised to hear my father answer the phone in a voice I had never heard him use before: One moment, I'll see if he is in. He went to the door, but did not even call himself - he appeared to be lost. He stayed in the doorway for such a long time trying to find himself that I took pity on the caller and answered the phone. Then I heard my mother's voice in the distance, and after the usual exchange of commonplaces, she asked me if my father was in. I said yes, called him gently in the stairs, then came back to the phone to give a perfect imitation of his voice.

LES REMISES. 1997
Bois, métal et plaque phosphorescente, 200 × 120 × 120 cm

Vivre dans la même ville que son pire ennemi est intolérable. Cela peut nous forcer à partir, à quitter la ville, nos amis, notre pays, notre langue.
Alors on s'en va de l'autre côté de l'Océan.
Chaque jour on espère retrouver la force du retour. Mais elle ne vient pas. Alors on reste dans son lit. Et comme la lâcheté est sans bornes, on donne des coups de fil anonymes à son pire ennemi. On prend un coin du drap de lit que l'on place sur le combiné pour travestir sa voix. Puis le temps passe, et l'on commence à perdre ses souvenirs. Alors on fait un nœud à son drap de lit pour ne pas oublier de téléphoner à son ennemi le lendemain matin. Mais le lendemain on n'appelle pas. Chaque jour pourtant on ajoute un nouveau nœud. Puis, quand notre drap n'est plus qu'un chapelet de nœuds qui nous empêche de dormir, on téléphone sans artifice. Et notre ennemi nous dit : « Reviens mon ami, c'est un malentendu. »
Et comme la lâcheté est un puits sans fin, on dénoue son drap pour faire son balluchon, et l'on rentre au pays. On sait pourtant qu'il n'y aura aucune explication à recevoir. On rentre parce qu'on n'a pas réussi à partir. Parce qu'on espère retrouver un lit sans nœuds. Mais tout a changé au pays. Nos amis ne nous reconnaissent plus, ou alors on ne se comprend plus, on ne parle plus la même langue. Alors on se met le drap sur la tête, sur tout le corps. Et l'on court les rues. Et l'on se sent léger, on se sent voler. Pour la première fois, on sait vraiment qu'on n'a rien dans le ventre.

It is an unbearable thing to live in the same town as your worst enemy. It is enough to force you to move away, leaving the town, your friends, country, language. So off you go across the ocean.
Each day you live in the hope of finding the strength to go back. But you never do. You stay in bed. And as there is no limit to cowardice, you make anonymous phone calls to your worst enemy. You wrap the receiver in a corner of the sheet to disguise your voice. Time passes and you gradually forget. So you tie a knot in your sheet to remind you to call your enemy tomorrow morning. But tomorrow morning you don't call him. But each day you tie another knot. Then when your sheet is no more than a string of knots you cannot sleep in, you call without disguising your voice. And your enemy says «Come home, my friend, there's been a misunderstanding.»
And as cowardice is a bottomless pit, you untie your sheet to pack up your bundle, and you set off back home, knowing fine well that you will be getting no explanations. You're going home because you never managed to go away in the first place. Because you hope to find a bed with no knots in it. But back home, it's all different now. Your friends have forgotten who you are, or else don't understand you any more, you no longer speak the same language. So you put the sheet over your head, wrap yourself up in it. And you run around the streets in it. You feel yourself flying. For the first time you discover how gutless you really are.

Il est écrit que l'âne – surtout s'il porte l'enfant qui vient de naître – peut s'arrêter à tout moment. Sur ce chemin comme ailleurs. Sans raison apparente. Si on veut le voir reprendre la route, il faut lui parler gentiment dans le creux de l'oreille. Cette méthode n'a aucune chance de réussite, mais on doit passer par là.

Il est conseillé de bien placer la voix dans le pavillon de l'animal. Ne prêtons pas attention aux alluvions qui encombrent les sillons auriculaires ; elles n'ont pas été sécrétées par l'âne, mais déposées par des impatients qui l'ont invectivé brutalement. Leur voix, trop chargée, s'est arrêtée en chemin.

Lorsque notre parole atteindra le tympan, elle le percera d'un petit cri de joie. Ce n'est pas grave. L'âne ne bronchera pas. Il fera le mort. Ou le sera. Pour des raisons indépendantes de notre volonté, il faut en effet de très longues années pour que notre voix remonte le conduit auditif de l'âne. On aura donc soi-même, au cours de l'opération, considérablement vieilli. Ce n'est pas un problème. L'âne n'avancera toujours pas. Mais cela n'aura plus la moindre importance. Car nous aurons mené sans encombre l'enfant qui venait de naître à l'âge adulte.

Dorénavant, ce sera à lui, s'il est suffisamment patient pour tolérer encore notre présence à ses côtés, de nous faire avancer en nous parlant gentiment dans le creux de l'oreille.

It is written that the ass – especially when it is carrying the child that has just been born – can stop at any moment. On this path or elsewhere. Without apparent reason. If one wishes for the ass to get going again, one must speak gently into the hollow of its ear. This method has not the least chance of success, but is something one must go through.

It is advisable to place one's voice well in the animal's pavilion. Do not pay attention to the alluvium blocking the auricular furrows; this was not secreted by the ass, but deposited by impatient people hurling abuse. Their voices, overcharged, only made it half way.

When one's voice reaches the eardrum, it will pierce it with a little cry of joy. This is nothing to worry about. The ass will not budge. It will play dead. Or be dead. For reasons beyond our willpower, it will take many long years for the voice to move up the ass's acoustic meatus. Over the course of the operation, one will have grown considerably older oneself. This is no problem. The ass still won't budge. But it will not matter any more. For we will have already carried the child that has just been born into adulthood.

From then on, it will be his turn, if he is patient enough to stand our presence at his side, to get us to move along by speaking gently into the hollow of our ear.

TROIS SUITES POUR PIANO. 1995
Installation vidéo (boucle)

Le 26 décembre 1931, Catherine de Sélys se produisait au Conservatoire de musique de Naples, lorsqu'une coulée de lave – due à une soudaine éruption du Vésuve – engloutit la salle tout entière. Miraculeusement épargnée grâce à la position élevée de la scène, Catherine fut la seule survivante.

Un an plus tard, revenant sur les lieux du sinistre pour participer à un concert de charité destiné aux familles des victimes, Catherine insista pour que l'on organise un deuxième récital, exclusivement réservé aux victimes elles-mêmes, qui, surprises par la lave, n'avaient pas eu l'occasion d'assister à la fin de sa prestation.

Catherine fut tellement convaincante que les organisateurs entreprirent de mouler dans la lave chacun des spectateurs tels qu'ils se tenaient au moment du drame.

Lorsque Catherine retrouva, fidèlement reconstituée, la salle qu'elle avait quittée en catastrophe un an auparavant, elle contempla avec émotion ceux qui furent son public. C'était la première fois qu'elle pouvait observer si intensément l'attitude de ses auditeurs au beau milieu d'un de ses concerts. Certains semblaient avoir été complètement captivés par son interprétation ; mais l'expression un peu hautaine, d'une prétention convenue, qui se dégageait d'eux lassa rapidement Catherine. Par contre, ceux que sa musique n'avait pas bouleversés et qui pour tuer le temps regardaient autour d'eux avaient pu voir arriver la catastrophe ; et tout, dans leur bouche tordue, leurs bras tendus, leurs yeux exorbités, correspondait à l'attitude qu'elle avait toujours espéré provoquer chez un auditeur.

À partir de ce jour, Catherine se lança dans d'interminables concerts où, grâce à la nonchalance de son jeu, elle atteignit une telle qualité d'ennui chez les spectateurs qu'au moindre incident imprévu ceux-ci parvenaient à libérer leur âme de passions insoupçonnées.

Le 6 avril 1935, Catherine de Sélys interpréta avec passion le *Concerto pour la main gauche* de Maurice Ravel à la salle Pleyel. C'était la première fois qu'elle jouait cette œuvre, et les applaudissements nourris qui clôturèrent sa prestation la touchèrent au plus profond d'elle-même.

Mais au moment où elle voulut se lever pour aller saluer son cher public, elle vit que sa robe portait des traces de doigts humides à l'endroit précis où elle avait déposé sa main droite durant tout le concerto. Catherine n'en comprenait pas l'origine, car, même lorsqu'elle éprouvait d'intenses émotions, elle ne transpirait jamais des mains ; de plus, sa main droite était restée inerte – comme morte – tout au long du concerto. En y regardant de plus près, Catherine découvrit avec stupéfaction que sa robe portait les mêmes taches de doigts dont était couvert son tablier d'infirmière, lorsqu'en avril 1916 elle allait donner les derniers soins aux victimes de Verdun, et que les mourants s'agrippaient désespérément à elle.

Chancelante, Catherine se leva et s'avança sur le devant de la scène ; mais lorsqu'elle vit tous ces bras tendus vers elle, la suppliant de leur donner un rappel comme si leur vie en dépendait, elle se sentit brutalement ramenée sur le front et perdit connaissance.

Des admirateurs se précipitèrent vers elle et l'allongèrent sur les fauteuils qu'ils occupaient dans la salle. Catherine demeurait sans réaction. Seule sa main droite manifestait un tremblement inquiétant. Soudain, au paroxysme de son agitation, cette main se déplaça sur le corps toujours inconscient de Catherine et la couvrit de caresses de plus en plus indécentes. Un homme, heurté par tant d'obscénité, voulut empêcher le bras de bouger, mais celui-ci le catapulta de l'autre côté de la pièce ; ce n'était plus le bras d'une faible femme, mais celui de tout un bataillon ; un bras qui accomplissait enfin l'impossible désir que la mort au champ d'honneur avait voulu interrompre. L'assistance, outrée par ces insupportables caresses, s'acharna alors sur le bras rebelle et parvint à le neutraliser.

Lorsque Catherine reprit ses esprits, elle se rendit compte que ses adorateurs avaient martyrisé son bras jusqu'à sa paralysie irrémédiable. Elle comprit aussitôt que, si elle voulait continuer à vivre sa passion, elle serait condamnée à jouer éternellement le seul concerto adapté à sa nouvelle condition.

Le 5 mars 1942, Catherine de Sélys participa à un récital de piano clandestin à la Société philharmonique de la République. Le contexte particulièrement pesant de l'Occupation l'avait privée de concerts depuis des mois, et la perspective de se replonger dans la musique la comblait de joie.

Au cours de la soirée, Catherine se sentit fondre corps et âme dans l'œuvre qu'elle interprétait. À plusieurs reprises même, elle fut envahie par l'angoisse de perdre tout contact avec la réalité, et, pour se raccrocher au monde, elle éprouva la nécessité d'improviser quelques notes qui feraient éclater un instant sa bulle. Par bonheur, ses variations durent sembler si naturelles qu'après le concert personne ne les lui fit remarquer.

Le lendemain, Catherine fut convoquée dans les bureaux de la police militaire. Un officier mélomane lui joua quelques mesures au piano et, d'un air inquisiteur, lui demanda ce qu'elle en pensait.

Catherine fut incapable de prononcer le moindre mot. Comment cet officier pouvait-il connaître ces notes, ces maudites notes qui firent basculer son enfance un soir de 1914, lorsque des soldats pénétrèrent dans l'appartement familial et violentèrent sa mère. Catherine entendait encore sa pauvre mère, qui, coincée contre le piano, essayait de se débattre et frappait désespérément le clavier de ses mains enserrées.

Imaginant avec effroi ce qui l'attendait si elle restait une seconde de plus dans ce bureau, elle tenta de s'enfuir. Mais alors que l'officier venait de la plaquer brutalement sur son bureau, elle y découvrit un exemplaire du programme de son récital, sur lequel les fameuses notes avaient été rapidement inscrites au crayon. Ainsi, cet air monstrueux correspondait en réalité aux quelques mesures qu'elle avait spontanément laissé échapper la veille, et que l'officier – sans doute présent au concert – avait dû prendre pour un quelconque message secret.

Tandis qu'on la conduisait dans un cachot où elle était déterminée à ne pas dire un mot, Catherine comprit enfin que, si elle était devenue un jour musicienne, c'était dans le seul espoir de s'imprégner de mélodies capables de couvrir cet air qui la hantait secrètement depuis un certain soir de 1914.

On the 26th of December 1931, Catherine de Sélys was performing at the Naples Academy of Music when a flow of lava - due to a sudden eruption of Vesuvius - engulfed the hall entirely. Miraculously saved by being up on the stage, Catherine was the sole survivor.

One year later, returning to the scene of the disaster to take part in a charity concert given for the families of the victims, Catherine insisted that a second recital be given, exclusively reserved for the victims themselves who, surprised by the lava, had not been able to hear the end of the concert.

Catherine was so convincing that the organisers undertook to cast in lava each of the spectators as they were at the very instant of the disaster.

When Catherine found, faithfully reconstructed, the hall she had fled in the catastrophe a year previously, she was overcome with emotion as she viewed those who had been her audience. It was the first time she was able to observe so intensely the attitude of her listeners in the beautiful ambience of one of her concerts. Some of them seemed to have been completely captivated by her interpretation; but their slightly haughty expression, of a pretentious kind, soon tired Catherine. On the other hand, those whom her music-making had not enraptured and who, to kill time, had been looking around them, were able to see the disaster coming; and everything - in their twisted mouths, their gesticulating arms, their eyes popping out of their heads - was in accord with the attitude she had always hoped to provoke in a listener.

From that day on, Catherine threw herself into interminable concerts where, thanks to the indifference of her playing, she achieved such a feeling of boredom in her audience that the slightest incident would release their spirit from unsuspected passions.

On the 6th of April 1935, Catherine de Sélys gave a passionate performance of Maurice Ravel's Concerto for the Left Hand at the Salle Pleyel. It was the first time she had played this piece and the hearty applause that closed the audition touched her innermost being.

But just as she got up to take her bow, she noticed that her dress was covered with moist fingerprints exactly where her right hand had been lying. She could not understand where these marks could have come from because her hands never perspired even when she was deeply moved and what's more, her right hand had lain without moving - like a dead hand - inert during the entire concerto. A closer look revealed that these were exactly the same fingerprints that had appeared on her apron when, in 1916, she had nursed the dying victims of Verdun who had clutched on to her so desperately.

Dumbfounded, she stumbled to the front of the stage and, seeing all those arms stretched out towards her, beseeching her to play an encore as if their lives depended on it, she felt brutally thrust back to Verdun and fainted.

Her admirers rushed up and stretched her out on the chairs on which they had been sitting. Catherine remained motionless but her right hand began to quiver. Suddenly, at the height of its tremor, the hand began to move over Catherine's still unconscious body and caress it more and more indecently. Shocked by such obscenity, one man attempted to stop her arm from moving but it catapulted him across the room. This was no feeble woman's arm, but the arm of a whole battalion, an arm that was at last fulfilling the impossible desire that dying for one's country had cut short. As the rebellious hand's caresses became more and more unbearable, the exasperated audience jumped on it and succeeded in holding it down.

When Catherine came to her senses, she realised that her adoring admirers had so brutalised her arm that she would never be able to use it again. At the same time, she realised that if she wanted to pursue her heart's desire and continue playing the piano, that she would be condemned to forever playing the only concerto her new condition allowed.

On the 5th of March 1942, Catherine de Sélys gave a secret piano recital at the Paris Philharmonic Society. The particularly infelicitous context of the Occupation had deprived her of any concerts for months and the prospect of plunging into music once again filled her with joy.

During the performance, Catherine felt herself dissolving, body and soul, into the work she was interpreting. On several occasions she was even overcome by the fear of losing all contact with reality, and in order to get back to the real world she found it necessary to improvise a few notes, just to prick her bubble. As luck would have it, her variations seemed to be so natural that, after the concert was over, no-one even mentioned it.

The next day, Catherine was summoned to the offices of the military police. An officer who was a musical enthusiast played a few bars to her on the piano and with the air of an inquisitor asked her what she thought.

Catherine was incapable of uttering a single word. How could that officer know those notes, those damned notes that ruined her childhood for ever one night back in 1914, when soldiers burst into the family apartment and raped her mother. Catherine heard her mother's cries once more as, jammed up against the piano, she tried to struggle and banged desperately on the keyboard with her imprisoned hands. Fearful of what would await her if she remained a second longer in that office, Catherine attempted to escape. But after the officer had just pushed her brutally down on to the desk, she suddenly saw a programme of her recital, on which the famous notes had been hurriedly written down in pencil. So it was that the monstrous tune corresponded in reality to the few bars she had spontaneously played the night before, and which the officer - no doubt present at the concert - was driven to conclude were some sort of secret message.

While she was being taken to a cell (from which she was determined not to say a word), Catherine finally realised that if she was ever to become a professional musician, it would be with the one and only hope of filling herself with so many melodies that they would drown out the tune that had haunted the recesses of her mind ever since that night in 1914.

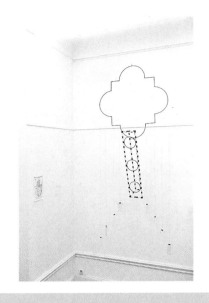

1987
E. A. POE
Plaque émaillée
50 × 35 cm

1989
LES HAUT-PARLEURS
Bois, métal, Plexi et papier
180 × 60 × 20 cm

1989
LES DRAPEAUX
Bois, acier et photo
240 × 35 × 30 cm

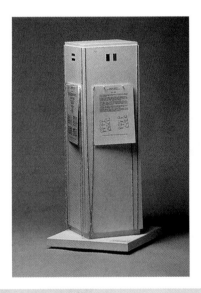

1989
LA MAISON D'OSKAR SERTI
Bois, acier et Plexi
120 × 40 × 40 cm

1991
LES PHOTOS TIMSI
Cuivre et Plexi
35 × 27 × 10 cm

1990
LE TERRIER
Fondation Cartier

1991
LA CAMÉRA
Bois
12 × 25 × 6 cm

1993
LE PLAFOND
6 films vidéo en boucle

1993
LES PARAVENTS
Toile, bois, verre et papier
160 × 200 cm

1993
LES PORTILLONS
Médium
500 × 150 × 120 cm

1994
LA VISITE
Bois, métal et fil tél.
300 × 500 × 500 cm

1994
PIÈGE À OURS
Bois, métal, corde et enveloppes

1994
À LA GARE
Bois et verre
200 × 140 × 50 cm

1994
TROIS ARBRES
Métal, verre et bois
400 × 400 × 400 cm

1995
LES BARRIÈRES
Bois, métal et verre
110 × 160 × 70 cm

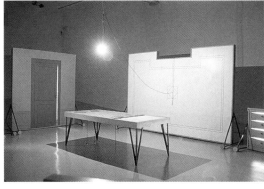

1997
L'HÔPITAL MILITAIRE
Bois, métal, fil électrique et néons

1998
LA TABLE DE LECTURE
Bois
120 × 130 × 110 cm

1999
ARBRE À FANTÔMES
Chaînes et lessiveuses

PATRICK CORILLON

ENTRETIEN AVEC NICOLAS BOURRIAUD

Interview with Nicolas Bourriaud

NICOLAS BOURRIAUD : *Dans quel sens votre travail a-t-il évolué depuis le début des années 90 ? Je me souviens que vous vous voyiez à l'époque comme une sorte de reporter : Tintin au pays de la fiction...*

PATRICK CORILLON : Tintin ne m'a pas donné de clés pour appréhender la fiction, mais bien plus la réalité. Je n'ai pu, par exemple, vraiment me sentir dans un pays de l'Est que parce que j'ai bu un verre dans un café qui ressemblait comme deux gouttes d'eau au restaurant syldave de l'album de Tintin *Le Sceptre d'Ottokar*. Les premiers éléments qui impriment le disque dur de notre enfance viennent souvent de la fiction, d'histoires qui ont éveillé des choses en nous et nous servent de référents tout au long de notre vie.

N. B. : *Dans la scénographie de votre travail, il y a également un côté « chercheur », un côté scientifique... Quel est votre domaine de recherche ? Votre travail est-il heuristique ? Qu'est-ce qui se dévoile du réel dans vos œuvres ?*

P. C. : Dans les jeux de rôle (qui nous donnent un peu plus de distance pour voir les choses), je me sens plus explorateur que chercheur ou scientifique. C'est la recherche d'états qui m'intéresse. État émotionnel. L'aboutissement étant de pouvoir dire : « Je suis au monde. » Le passage d'une personne à l'autre. Ce qui me préoccupe, c'est l'idée de passage d'une personne à l'autre.

N. B. : *La plupart de vos pièces intègrent leur propre muséographie, à la fois dans leur aspect formel et en raison de la présence du commentaire. On dirait que, dans votre univers, la parole ne peut être que secondaire, accompagnée, comme dans la tradition hébraïque où un texte ne vaut que s'il est commenté. Quelle valeur donnez-vous au commentaire, à la didascalie, au sous-titre ?*

P. C. : J'aime bien le mot « didascalie » parce qu'il se réfère au théâtre, et que je vois avant tout mes installations comme des représentations théâtrales où le visiteur serait à la fois acteur et spectateur de lui-même. Je me sens incapable d'être en prise directe avec le monde. J'ai besoin de me le représenter. La représentation met le monde à ma mesure. Autrement, je me sens dépassé. La didascalie permet aussi

le passage d'une œuvre à ses multiples interprétations. Je ne pense pas qu'il n'y ait qu'une façon de présenter mes pièces. Pour l'instant j'ai toujours été le propre interprète de mes installations, mais je laisse la porte ouverte aux autres, à tous ceux qui voudraient porter leur propre regard sur l'univers que je mets en place. En cela, le texte peut servir de point de repère, de didascalie.

N. B. : *Formellement, beaucoup de vos travaux évoquent l'art minimal. Comme si vous rechargiez ces formes d'ores et déjà historisées en les évidant de l'intérieur. Est-ce que vous envisagez les parentés formelles de votre travail ou est-ce que vous les constatez après coup ?*

P. C. : Je voudrais bien que mes pièces parlent autant à la part mentale de nous-mêmes qu'à la part physique. Les œuvres d'art minimal sont celles qui, à mon avis, parlent le plus directement au corps, tout en laissant des ouvertures possibles sur d'autres mondes. La présence d'un texte ne les contrarie pas. Je n'ai pas l'impression de les évider, mais de les mettre en perspective. Je ne me pose pas la question de l'historicité de mes œuvres, et je n'ai pas non plus le sentiment qu'elles appartiennent davantage à d'autres qu'à moi. En tout cas, je me les suis appropriées sans trop de mal : peut-être qu'elles font toujours partie d'une problématique actuelle. Mais je dis tout cela *a posteriori*, car, au moment de faire, je ne pense jamais à ces questions, je cherche la forme qui traduira le mieux mes désirs.

N. B. : *La critique la plus fréquente adressée à votre travail concerne son caractère supposé « anecdotique »...*

P. C. : L'« anecdotique », c'est le cadre de notre vie. J'emploie « cadre » dans le sens décoratif du terme. Un cadre nous permettant de cerner les choses qui comptent pour nous. Je me souviens d'avoir veillé quelqu'un de très proche dans un hôpital. Je passais mes journées à regarder les dalles de marbre du sol. J'essayais de retrouver des formes connues dans les veines du marbre. Je n'ai pas l'impression que mon regard était anecdotique par rapport à la situation dramatique que je vivais, au contraire, certaines

NICOLAS BOURRIAUD: *In what direction has your work evolved since the early nineties? I remember at the time you saw yourself as a kind of reporter – Tintin in fictionland...*

PATRICK CORILLON: Tintin did not provide me with the keys to unlock fiction, but much more reality. For instance I could really only feel comfortable in one eastern European country because I had a drink in a café that was for all the world the Syldavian restaurant in the Tintin album, *Le Sceptre d'Ottokar*. The earliest elements that print out the hard disk of one's childhood often come from fiction, from stories that have stirred things inside us and which will serve as referents for the rest of our lives.

N. B.: *In the scenography of your work, there is also a "researcher" side, a scientific side... What is your field of research? Is your work heuristic? What aspect of reality is revealed through your works?*

P. C.: In the role-playing games (which give us a little extra distance to see things), I feel more of an explorer than a researcher or scientist. What I am interested in is looking for states. Emotional states. The crowning moment being when you can say "I am in the world". The passage from one person to the other. What I am concerned with is the idea of a passage from one person to the other.

N. B.: *Most of your pieces include their own museography, both in their formal aspect and through the presence of the commentary. It would appear that in your world, words can only be secondary, accompanied, as in the Hebrew tradition where a text is only of value to the extent that it has a commentary. What value do you put on the commentary, the didascaly, the subtitle?*

P. C.: I like the word didascaly because it refers to the theatre and I see my installations primarily as theatrical shows in which visitors are both the players and their own spectators. I feel incapable of being directly tuned in to the world. I need to represent it to myself. Representation brings the world down to a scale I can handle. Otherwise I feel out of my depth. The didascaly also opens a passage from a work to its various interpretations. I don't think there is any one way of presenting my pieces. So far I have always been the one to interpret my installations, but I leave the door open to others, to all those who wish to take their own personal look at the universe I am setting up. In this respect the text can be used as a landmark, as a didascaly.

N. B.: *In terms of form, much of your work reminds one of Minimal Art. As if you were recharging what are already story forms by hollowing them out from the inside. Do you look for formal relationships to your work or do you just observe them after the event?*

P. C.: What I would like is for my pieces to speak to our mental side as much as to the physical side. Minimal Art in my view is what speaks most directly to the body, without ruling out openings onto other worlds. The presence of a text does not get in the way. I do not feel I am hollowing them out, but rather putting them into perspective. I don't ask myself the question of the status of my works as stories, neither do I feel that they belong more to other people than to myself. At any rate, I have taken them over with no great difficulty, perhaps because they are still unfinished business. But I say all this after the event, because when I am working on something, I never think of such questions, I look for the form that will render my desires best.

N. B.: *The criticism your work comes in for most frequently is to do with its supposed "anecdotal" character...*

formes me permettaient de voir les choses sous un autre angle.

N. B. : *Il y a un critère de jugement que j'emploie volontiers, c'est ce que j'appelle le « critère de coexistence » : essayer de transposer l'espace de l'œuvre dans un contexte social. On remarque que l'art fasciste ou stalinien est fondé sur la symétrie et la fermeture, ou que l'espace de Mondrian reflète un désir de circulation idéale, par exemple. Et si l'on transposait votre travail dans la réalité sociale ?*

P. C. : L'existence de mon travail dans la réalité sociale n'est ni une hypothèse ni un essai de transposition. Elle s'impose de fait.

Je ne suis pas un peintre d'atelier mais un artiste qui fait des installations en fonction de lieux, de contextes donnés. Au cours de l'élaboration d'un travail, je reformule constamment mon projet en fonction de mes interlocuteurs (que ce soit au moment de la présentation du projet devant un élu local ou au moment de la discussion des problèmes techniques avec les personnes qui réalisent mes pièces : menuisiers, ferronniers, etc.). Je ne vois pas le fait d'être impliqué dans une réalité sociale comme une contrainte, mais comme un exercice d'assouplissement qui me permet de tourner autour de l'œuvre. Je suis tellement réceptif aux points de vue des autres que parfois j'ai l'impression que ce sont eux qui ont réalisé la pièce. Je n'en suis qu'un élément cristallisateur.

Si je fais par exemple une installation au parc de La Courneuve, et que je place des cageots sur lesquels quelqu'un aurait prononcé en 1937 des discours dénonçant le drame de Guernica, ce n'est pas pour figer une période du passé, mais pour que les habitués du parc, chargés de cette période de l'Histoire, montent à leur tour sur les cageots et, se rendant complices de mon installation, s'amusent à dire des choses qu'ils n'auraient peut-être pas l'occasion de dire autrement. Donc, je n'ai pas l'impression que mes histoires ne renvoient qu'à mon propre univers, mais qu'au contraire elles servent de levier pour faire émerger un univers qui sommeille au fond de chaque visiteur. Cet imaginaire, je le vois ancré dans une réalité sociale et contemporaine, mais, pour qu'il puisse naître en toute liberté chez les spectateurs, j'ai besoin de donner des histoires qui mettent de la distance ou de la perspective mais qui n'étouffent pas. Je peux comprendre pourtant que mon travail soit source de malentendus, qu'on puisse me voir cantonné dans de petites mythologies individuelles. Mais pour l'instant, j'assume ce malentendu. Mon travail est un travail de longue haleine. Pendant six à sept ans, j'ai travaillé sur ce que Freud appelait la « psychopathologie de la vie quotidienne ». Depuis deux ou trois ans, je suis passé à autre chose, qui serait plus proche des croyances populaires ou de mythes partagés par toute une communauté.

On ne connaît pas encore bien cette direction nouvelle, mais elle me permet de voir mes travaux précédents sous un autre angle. Il y a bien, pour reprendre votre question, une tentative, et même une ambition de totaliser, ou en tout cas de cerner, la question de l'histoire. Pourquoi a-t-on besoin d'histoires ? Sommes-nous comme Shéhérazade, qui ne racontait des histoires que pour faire reculer la mort ? Mes histoires sont avant tout des contes dont la première fonction est de dire : je vous raconte une histoire d'une histoire qui ne se raconte pas n'importe où, n'importe quand ni avec n'importe qui. Je me sens donc pleinement acteur de « grands récits de légitimation », pour reprendre l'expression de Lyotard. J'ai l'ambition de mettre le spectateur « au monde ». Et le lieu de l'accouchement est l'espace de l'exposition. Et donc, si l'on parle de signalétique, ce sera uniquement pour dire : « Vous êtes là. » Pour moi, une histoire a le pouvoir de nous rendre présents dans un lieu parce qu'elle ne traite pas le lieu en surface, elle le met en perspective.

Nicolas Bourriaud, critique d'art, est directeur de rédaction de la revue Documents sur l'art *et cofondateur de* La Revue perpendiculaire. *Il a été commissaire de plusieurs expositions.*

P. C.: The "anecdotal" is the frame of our lives. I use the word frame in the decorative meaning of the term. A frame that helps us to circumscribe things that mean a lot to us. I remember sitting with someone very close to me in hospital. I spent my days staring at the marble floor tiles. I tried to find familiar shapes in the veins of the marble. I don't feel my looking was anecdotal in relation to the dramatic experience I was going through; on the contrary, certain shapes actually helped me to see things in a different light.

N. B.: There is a judgement criterion I readily use, I call it the "coexistence criterion": try and transpose the space of the work into a social context. One notes that Fascist or Stalinist art is based on symmetry in a closed system or that space for Mondrian reflects a desire for ideal circulation for instance. What about your work if we transpose it into the social reality?

P. C.: My work's existence as part of the social reality is neither a hypothesis nor an attempt at transposition. It just is.

I am not a studio painter, but an artist who does installations to fit in with given places and contexts. As the work progresses, I keep reformulating my project in function of who I am dealing with (whether it be when presenting a project to a representative of local government or discussing technical problems with the people who make my pieces – joiners, ironmongers, etc.). I don't see the fact of being involved in a social reality as a constraint but as a limbering up exercise that helps me to mull over the work. I am so receptive to other people's viewpoints that I sometimes get the impression that they are the ones who did the piece. I do no more than crystallise that process.

Say for instance I do an installation at the Parc de La Courneuve and I place some soap-boxes on which someone made speeches in 1937 denouncing *Guernica*, it is not to set a period of the past once and for all, but to get people who use the park charged with History, climb on the soap-boxes, and join in on the fun of the installation, saying things they might not otherwise have a chance to say. So I don't feel my stories refer back only to my own world, but on the contrary that they act as a lever to bring out a world that lies dormant deep down inside each visitor. This imagination I see anchored in a contemporary social reality, but for it to develop freely in the spectator, I need to come up with stories that provide distance or perspective without stifling. I do however understand how my work can cause misunderstandings and how people may see me as being shut up in my little personal mythologies. But for the time being, I accept this misunderstanding. My work is a long-term effort. For six or seven years, I worked on what Freud termed the psychopathology of everyday life. In the last two or three years, I have moved on to something else closer to popular beliefs of myths shared by a whole community.

This new direction is still unfamiliar, but it enables me to look at my previous work from a new angle. To come back to your question, there is indeed an attempt, and even an ambition to totalise, or at any rate to circumscribe, the question of the story. Why do we need stories? Are we like Scheherazade who only told stories to stave off death? My stories are first and foremost tales whose main function is to say: I am telling you the story of a story that is not to be told just anywhere, any time, or with just anybody. So I feel fully a player in what Lyotard calls "great legitimisation narratives". My ambition is to bring the spectator "into the world". And the exhibition space is where the birth takes place. And so, if we talk of signposting, it will only be to be to say "you are here". For me, a story has the power to make us present in a place because it does not treat the place on a superficial level, it puts it into perspective.

PATRICK CORILLON

CATHERINE FLOHIC

Souvent, aujourd'hui, les visiteurs des expositions où se chevauchent les genres artistiques des installations, textes, vidéos, photos, etc., traînent à l'affût de sens et, souvent déconcertés, passent vite, trop vite. Patrick Corillon, qui utilise ce même langage plastique et use même, lui tout seul, de tous ces « matériaux », a une façon très étrange de retenir le visiteur. Il ne brusque pas. Rien ne heurte, tout est un peu timide : ses histoires désuètes, ses objets esthétiques et presque insignifiants. Jamais de spectaculaire. Rien qui l'apparente à sa jeune génération du bric-à-brac et bric et broc, aux déballages et détritus, aux jeux du vulgaire et de la provocation. Il se (nous) situe dans une sorte de temps à part. Un monde dont l'imaginaire poétique appartient plus à une tradition d'aînés. On fait référence à Pessoa et à Raymond Roussel parce que Corillon utilise essentiellement l'écrit et un certain type de fiction. On fait référence aussi aux Marcel, le Duchamp et surtout le Broodthaers, belge comme lui, côté distance et humour dans ses rapports avec l'Art. Corillon en effet raconte des histoires, et ses personnages – qu'on croirait sortis d'un feuilleton populaire du siècle dernier – ont des rapports curieux avec la vérité. Autour du principal héros Oskar Serti, écrivain et peintre (Budapest 1881-Amsterdam 1959), il y a des femmes (la pianiste Catherine de Sélys, l'actrice Véronique de Coulanges, la poétesse Marina Morovna...) et quelques hommes (le peintre dissident Théodore Brötski, l'écrivain et biographe de Serti Victor Lurkin...). Ces personnages et leurs aventures traversent avec leurs accessoires-indices les lieux que Corillon vient provisoirement « habiter ». Invité à intervenir dans un paysage, un bâtiment, il y cherche les liens entre les idées et les choses, et il invente. Sur des cartels, des plaques commémoratives, des livres, des affichettes, on trouve ses textes à l'écriture neutre et précise d'un travail de documentaliste. On les trouve agencés avec des objets auxquels ils se réfèrent mais que nous devons découvrir et comprendre. Nous n'avons qu'à nous laisser mener par des fils subtils comme ces fils de la Vierge qui juste un moment brillent sous l'effet d'un souffle de vent dans le soleil. Une fois le regard éveillé, il nous faut remonter à la source au vrai sens du terme, physiquement, en progressant vers l'amont de notre découverte. Là peut-être entrerons-nous dans ces histoires vécues par les personnages de Patrick Corillon, qui forment des histoires dans l'histoire, d'infinies mises en abyme. Probabilités, hypothèses, rendez-vous inaccomplis, rencontres impossibles, tout du rêve et de l'imaginaire, ceux des

personnages, de Corillon. Les nôtres. Il nous met dans un balancement « d'aventures » toujours ouvert, suspendu et sans fin.
« Lorsque Oskar Serti vint ici pour la première fois, il fut directement frappé par l'extraordinaire ressemblance qui existait entre ce lieu et celui qu'il avait imaginé comme cadre de son dernier roman. » Tout était parfaitement identique. Seule la présence d'une poubelle différe de la « réalité » de son livre. Il décide alors de la déplacer... (*La Poubelle*, Documenta IX, 1992).
Ces « objets » que Corillon installe *in situ* ont le sérieux des bricolages d'inventeur de concours Lépine. Il y a dans l'œuvre de Corillon un souci de vraisemblance et de perfection qui cohabite avec le poétique. Il y a de l'enfance aussi dans l'œuvre de Corillon, dans ses yeux même. Un pétillement espiègle. Il aime à nous perdre, c'est-à-dire à nous faire rêver. Qui, derrière son apparente douceur souriante et calme, est le véritable Corillon ? Quelles relations y a-t-il entre Serti, mort en 1959, et ce Patrick Corillon né la même année ? Est-il écrivain, Corillon, ou encore scientifique auteur d'une histoire naturelle ? Il connaît si bien les mœurs spéciales de créatures rares du règne végétal (ces fleurs isoroi vivace qui ne poussent qu'à l'intérieur saturé d'humidité des tuyaux d'arrosage...) ou les graines d'oisilo (tellement philanthropes qu'elles ne germent que dans les particules de terre sous les ongles...) et les lézards, et les ânes... Derrière toutes ces trouvailles, simplement, un artiste se cache, avec sa grande curiosité d'amateur de littérature, de musique, de théâtre. Un artiste qui doit compter avec l'effort du spectateur et prendre le risque que l'on passe à côté de son projet où rien n'est jamais donné. *La Maison d'Oskar Serti* par exemple (constituée de cinq cabines identiques dans lesquelles sont dispensés des sons en trois dimensions provenant des cinq pièces d'une maison : cave, grenier, salle de bains, cuisine, chambre) est un de ces dispositifs avec lesquels Corillon espère stimuler l'attention des visiteurs. Si l'on est suffisamment disponible, prêt à s'investir un moment dans la réalité poétique de la fiction, alors on y entre, on s'amuse, et on devient soi-même le héros de ce jeu de rôle que Corillon a créé pour lui ou pour nous... Il est intervenu. Il s'est mis entre le lieu et nous, et il est parti, espérant le rebond de ses morceaux choisis.

Patrick Corillon est né en 1959 à Knokke-le-Zoute en Belgique. Il vit et travaille à Paris.

Often these days, visitors to exhibitions with overlapping artistic genres such as installations, text, videos, photographs, etc. are on the lookout for meanings, and being often disconcerted, pass by quickly, too quickly. Patrick Corillon, who uses this same language of plastic art, and even uses single-handed all those "materials", has a very strange way of holding on to his visitors. He doesn't rush them at all; there is nothing to shock, it is all rather shy – his outmoded stories, his aesthetic, almost insignificant objects. Never anything spectacular. Nothing to link him to his young generation of bric-à-brac and bits and pieces, with displays and waste materials, the game of vulgarity and provocation. He – and us with him – is in a sort of time capsule of his own. A world where poetic imagination belongs more to a tradition of elders. There are references to Pessoa and Raymond Roussel because Corillon relies mostly on writing and on a certain type of fiction. There are also references to the two Marcels, Duchamp and especially Broodthaers, a fellow Belgian for his distance and humour in his relationship with Art. Corillon tells stories, and his characters, like something out of a popular 19th century serial, have an odd relationship with the truth. Around the main hero, writer and painter Oskar Serti (Budapest 1881-Amsterdam 1959), there are women (the pianist Catherine de Seylis, the actress Véronique de Coulanges, the poet Marina Morovna...) and a few men (the dissident painter Theodore Brötski, the writer and Serti's biographer Victor Lurkin...). These characters and the adventures pass, with their props/clues, through the places Corillon wishes to "inhabit" temporarily. He is invited to operate in a landscape or building, where he looks for links between ideas and things, and he invents. On cartels, commemorative plaques, books, small posters, we find his texts in his neutral, precise style worthy of a documentalist. We find them arranged with objects to which they refer but that we have to discover and understand. We just have to let ourselves follow the subtle gossamer-like threads that shine for an instant in a breath of wind in the sunshine. Once our eye is watchful, we have to go back literally and physically to the source, following our discovery upstream until perhaps we can enter into these stories lived through by Patrick Corillon's characters who form tales within a tale in an infinite series of *mises en abyme*. Probabilities, hypotheses, unfulfilled appointments, impossible encounters, all in the dream world the imagination of Corillon's characters. Ours. He places us in an ever open, suspended and endless sway of "adventures".
"When Oskar Serti came here for the first time, he was immediately struck by the extraordinary resemblance between this place and the one which he had imagined as the setting for his latest novel." Everything was exactly the same. Only the presence of a dustbin is different from the "reality" of his book. So he decides to move it... (Dokumenta IX 1992).
These "objects" which Corillon installs *in situ* are as serious as the Heath Robinson devices of amateur inventors. Corillon's work shows, concomitant with its poetic quality, great attention to verisimilitude and perfection. There is also childhood in Corillon's work, which even shows in his eyes – a mischievous sparkle. He likes to lose us, in other words to set us dreaming. Behind his calm, smiling gentle exterior, who is the real Corillon? What relationship is there between Serti, who died in 1959, and this Patrick Corillon, born that same year? Is Corillon a writer or a scientist who has written a natural history? He is so thoroughly familiar with the special habits of rare creatures of the plant kingdom – those Isoroi flowers that only grow in the soaked interior of garden hoses... or the Oisilo seed, philanthropic to the point of germinating only in soil particles under people's nails – lizards, donkeys and more... Behind all these finds, quite simply, lurks an artist, with his great curiosity as a lover of literature, music and the theatre. An artist who has to make allowances for the effort on the viewer's part and accept the risk of people entirely missing the point of a project in which nothing is ever given. *Oskar Serti's House* for instance, is made up of five identical cubicles in which three-dimensional sounds from the five rooms of a house – cellar, attic, bathroom, kitchen and bedroom – are heard: one way in which Corillon hopes to stimulate visitors' attention. If we are sufficiently receptive, willing to invest a moment in the poetic reality of this fiction, then we get into it, and have some fun as we become the hero of this role-playing Corillon has designed for himself or for us... He has intervened. He has brought himself be the place and us, and then left, trusting his selected pieces will rebound.

Patrick Corillon was born at Knokke-le-Zoute in Belgium in 1959. He lives and works in Paris.

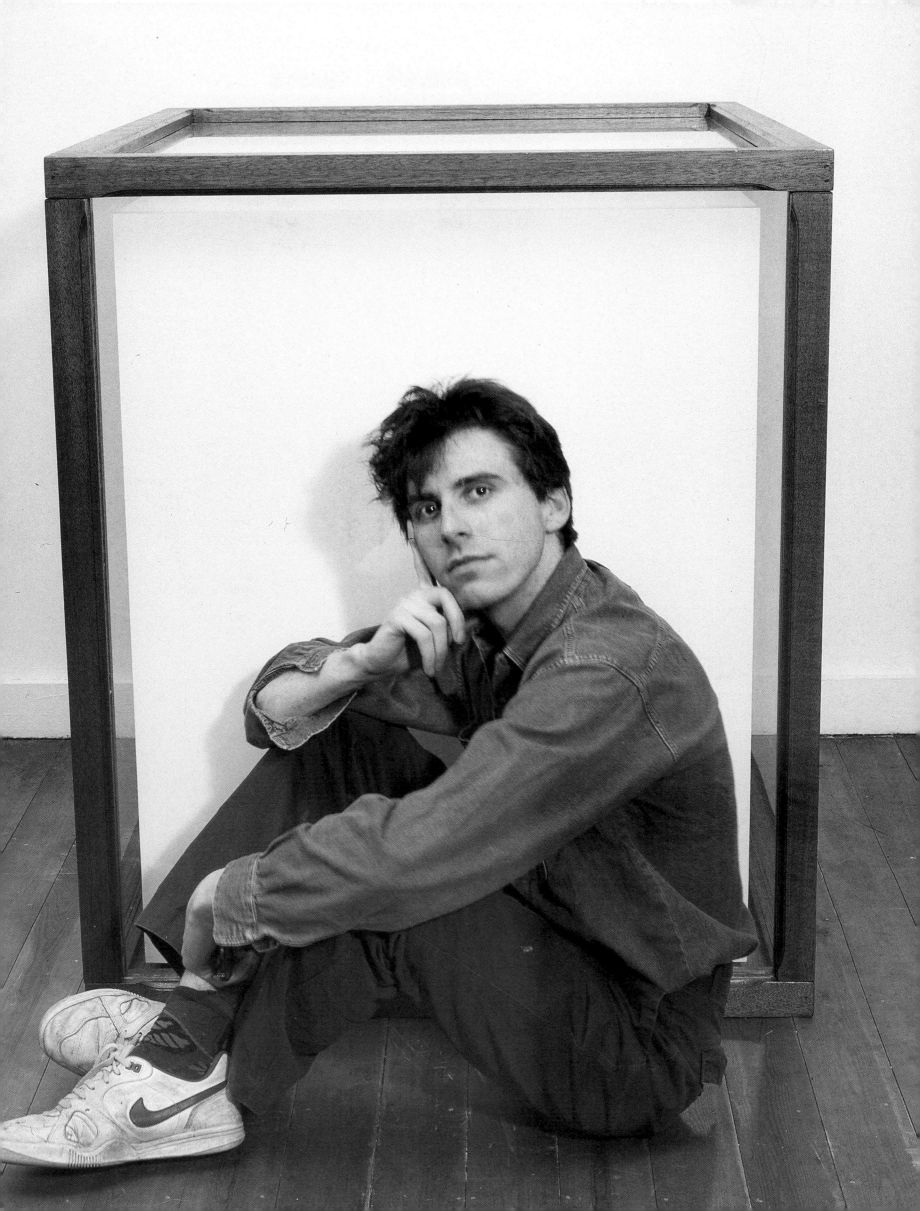

En collectionnant NINETY, vous constituerez chez vous une précieuse bibliothèque rassemblant des démarches très différentes. Au fil des mois, NINETY dessine la collection de l'art des années quatre-vingt-dix.
By keeping every issue of NINETY, you will build up a precious collection of a variety of artistic methods. Month by month, NINETY provides you with a collection of art in the nineties.

Déjà parus / Already published :
1. ANTONI TÀPIES – HILLA & BERND BECHER
2. ENZO CUCCHI – ROB SCHOLTE
3. SIGMAR POLKE – MIKE & DOUG STARN
4. PHILIPPE FAVIER – PETER HOWSON
5. DAVID SALLE – FRÉDÉRIQUE LUCIEN
6. MIQUEL BARCELÒ – JACQUES CHARLIER
7. GÉRARD GAROUSTE – BERTRAND LAVIER
8. MIMMO PALADINO – ÉLISABETH DUGNE
9. SOPHIE CALLE – JIRI GEORG DOKOUPIL
10. JOAN MITCHELL
11. JAMES BROWN – DAMIEN CABANES
12. EUGÈNE LEROY – FRANÇOISE VERGIER
13. MARKUS LÜPERTZ – FABRICE HYBERT
14. JEAN-PIERRE RAYNAUD – CAROLE BENZAKEN
15. LOUISE BOURGEOIS
16. FRANCESCO CLEMENTE – GEORGES TOUZENIS
17. ERIC FISCHL – PASCAL SIMONET
18. ILYA KABAKOV – MAX NEUMANN
19. CY TWOMBLY – PASCAL CONVERT
20. JEAN LE GAC – MYUNG-OK HAN
21. JEAN-PIERRE PINCEMIN – JEAN-MICHEL OTHONIEL
22. TONY CRAGG – PHILIPPE COGNÉE
23. ROMAN OPALKA – SYLVIE BLOCHER
24. GEORG BASELITZ – MARC COUTURIER
25. REBECCA HORN – YAN PEI-MING
26. ERNEST PIGNON-ERNEST – FRANCK CHALENDARD
27. JOSÉ MARÍA SICILIA – CORNELIA PARKER
28. LUC TUYMANS – GILLES BARBIER
29. GERHARD RICHTER – LEE MINGWEI
30. GEORGES ROUSSE – RIRKRIT TIRAVANIJA
31. GILBERT & GEORGE – RACHEL WHITEREAD
32. MARLENE DUMAS – MARIE-ANGE GUILLEMINOT

SOMMAIRE
CONTENTS

CRÉDITS PHOTOGRAPHIQUES/CREDIT LINE
© A. LE NOVAIL, P. 52A, 53B – © ALQUIER, P. 67H – © ATTILIO MARANZANO, P. 36 – © B. GOEDEWAAGEN, P. 67B – © BERTRAND RENOUX, P. 43, 45 – © CENTRE GEORGES-POMPIDOU, BERTRAND PRÉVOST, P. 67A ; K. IGNATIADIS, P. 20 – © DAMIEN HUSTINCK, P. 48 – © ÉLISABETH BROEKAERT, P. 32 – © FABRIC WORKSHOP AND MUSEUM, P. 39 – © FRANÇOIS POIVRET, P. 59B, 66G – © FRÉDÉRIC DELPECH, P. 44 – © GALERIE MASSIMO MININI, P. 67C – © GEORGES PONCET, P. 66E – © HEINI SCHNEEBELI, P. 18, 19 – © ISAAC APELBAUM, P. 54, 59A – © JEAN BERNIER, P. 20 – © JOËL VON ALLMEN, P. 58 – © JOHN BRASH, P. 33 – © MARC DOMAGE, P. 60, 66H, 67G – © MARTIN WOLF, P. 53A – © O. ROUSSEAU, P. 61 – © PACO DEL GADO, P. 16 – © PAUL DE JONG, P. 22, 23, 25, 26, 27, 28, 29, 31, 34, 35, 37, 40 – © PETER KOX, P. 50 – © PHILIPPE DE GOBERT, P. 42, 51, 52B, 56, 62, 66I, 67E – © PIERRE HOUCMANT, P. 64, 65 – © SMAK, GAND, P. 38 – © STUDIO STEFANIA MISCETTI, P. 24 – © TOMAS ADEL, P. 21 – © YVES FONCK, P. 46, 66D

© ADAGP

COURTESY
POUR PATRICK CORILLON : GALERIE DES ARCHIVES, PARIS – GALERIE ÉTIENNE FICHEROULLE
POUR MARINA ABRAMOVIC : SEAN KELLY GALLERY, NEW YORK –
FONDATION MARINA ABRAMOVIĆ

PHOTOS DE COUVERTURE/COVER ILLUSTRATIONS
MARINA ABRAMOVIĆ, BALKAN BAROQUE, BIENNALE DE VENISE 1997 – © ATTILIO MARANZANO
PATRICK CORILLON, L'ENLÈVEMENT, 1995

ABONNEMENTS/SUBSCRIPTIONS
EIGHTY PUBLICATIONS, 24, AVENUE JEAN-JAURÈS, B.P. 33,
94222 CHARENTON CEDEX, FRANCE
TÉL : 01 45 18 09 00 – FAX : 01 45 18 90 39
FRANCE : 500 F – EUROPE : 560 F – HORS EUROPE : 650 F

DIRECTEUR DE LA PUBLICATION : JEAN-LUC FLOHIC
NINETY REVUE TRIMESTRIELLE EST ÉDITÉE PAR EIGHTY MAGAZINE SARL –
R.C. 328.648.035 – COMMISSION PARITAIRE N° 66071 – © NINETY 1999 –
DÉPÔT LÉGAL 3e TRIMESTRE 1999 – N° ISSN 0294 –
DISTRIBUÉ PAR FLOHIC EDITIONS
N° d'édition : 608
N° d'impression : ISBN 2-86274-608-8

PHOTOGRAVURE : GCS
IMPRESSION ET FAÇONNAGE : IMPRIMERIE JEAN-LAMOUR

ISBN N° 2-908787-45-8
ERRATUM AU NUMÉRO 32
Page 6 : (...) L'Opéra d'Aran de Dufrêne, et une œuvre d'Art & Langage (...)
Page 7 : (...) des artistes comme Harald Szeemann travaillent autour de l'art brut (...)

DIRECTEUR DE LA RÉDACTION / PUBLISHER : JEAN-LUC FLOHIC
RÉDACTEUR EN CHEF / EDITOR : CATHERINE FLOHIC
COORDINATION DE L'ÉDITION / PUBLISHING COORDINATION : SOPHIE DELESALLE
SECRÉTARIAT DE RÉDACTION / EDITORIAL SECRETARY : CAMILLE-FRÉDÉRIQUE BLIND
COLLABORATION / CONTRIBUTORS : NICOLAS BOURRIAUD, NIKOLA JANKOVIC,
DENYS ZACHAROPOULOS
TRADUCTION / TRANSLATION : JOHN LEE, JACQUES MAILHOS
CORRECTION / PROOF-READING : NATHALIE SIMON
ABONNEMENTS / SUBSCRIPTIONS : FRÉDÉRIC BEAUJARD
EXÉCUTION-MAQUETTE / PRODUCTION-LAYOUT : MYRIAM HOSSAIN